Chambers
Port
Verbs

CW00428472

Chambers

CHAMBERS
An imprint of Chambers Harrap Publishers Ltd
7 Hopetoun Crescent, Edinburgh, EH7 4AY

Chambers Harrap is an Hachette UK company

© Chambers Harrap Publishers Ltd 2009

Chambers® is a registered trademark of Chambers Harrap Publishers Ltd

This second edition published by Chambers Harrap Publishers Ltd 2009
First published as *Harrap's Portuguese Verbs* in 2004

A CIP catalogue record for this book is available from the British Library.

ISBN 978 0550 10514 1

10 9 8 7 6 5 4 3 2 1

Every reasonable effort has been made by the author and the publishers to trace the
copyright holders of material quoted in this book. Any errors or omissions should be
notified in writing to the publishers, who will endeavour to rectify the situation for
any reprints and future editions.

Project Editors: Alex Hepworth, Kate Nicholson
With Helen Bleck

www.chambers.co.uk

Designed by Chambers Harrap Publishers Ltd, Edinburgh
Typeset in Rotis Serif and Meta Plus by Macmillan Publishing Solutions
Printed and bound in Spain by Graphy Cems

INTRODUCTION

Chambers' concise yet authoritative guide to Portuguese verbs is designed to be a quick, straightforward reference for all learners of Portuguese. It opens with some essential grammatical information, explaining in accessible terms how different verb types are conjugated and how the various tenses are used. The main body of the book is then comprised of verb tables, showing the full conjugation of over 200 Portuguese verbs which can be used as models for all the others. In the extensive bilingual index, verbs are cross-referred to the table whose model they follow, while those used as models themselves are clearly marked. Although the focus is on 'European' Portuguese, Brazilian variants are also covered.

This new edition has been updated with a smart two-colour design to make consultation even easier and more enjoyable. Suitable for everyone from beginners to experienced language learners, this pocket reference is an essential companion for anyone wishing to communicate effectively in Portuguese.

CONTENTS

A GLOSSARY OF GRAMMATICAL TERMS

ACTIVE The active form of a verb is the basic form as in **I remember him**. It is normally opposed to the **PASSIVE** form of the verb as in **he will be remembered**.

AUXILIARY Auxiliary verbs are used to form **COMPOUND** tenses of other verbs, eg *have* in **I have seen** or *will* in **she will go**. The main auxiliary verbs in Portuguese are ter (to have) and ser/estar (to be).

CLAUSE A group of words which contains at least a **SUBJECT** and a verb: **he said** is a clause. A clause often contains more than this basic information, eg **he said this to her yesterday**. Sentences can be made up of several clauses, eg **he said/he'd call me/if he were free**.

COMPOUND TENSE Compound tenses are verb tenses consisting of more than one element. In Portuguese, the compound tenses of a verb are formed by the **AUXILIARY** verb and the **PAST PARTICIPLE**, eg tinha ido ('he had gone'), teremos visto ('we will have seen').

CONDITIONAL This **MOOD** is used to describe what someone would do, or something that would happen if a condition were fulfilled (eg **I** *would come* **if I was well, the chair** *would have broken* **if he had sat on it**).

CONJUGATION The conjugation of a verb is the set of different forms taken in the particular **TENSES** and **MOODS** of that verb.

DIRECT OBJECT A direct object directly receives the action of a verb, eg **he ate the apple**. No linking preposition is required, as it would be with an **INDIRECT OBJECT**.

ENDING The ending of a verb is determined by the **PERSON** (1st/2nd/3rd) and number (singular/plural) of its subject.

GERUND *See* PRESENT PARTICIPLE.

IMPERATIVE A MOOD used for giving orders (eg **stop!**, **don't go!**) or for making suggestions (eg **let's go**).

IMPERSONAL VERB This is a verb that is generally used in the 'it' form, eg **it is raining**.

INDICATIVE The 'normal' form of a verb as in **I like, he came, we are trying**. It is opposed to the SUBJUNCTIVE, CONDITIONAL and IMPERATIVE.

INDIRECT OBJECT An indirect object follows a verb indirectly, with a linking preposition (usually *to*), eg **I spoke to my friend/to him**. In English this is not always expressed. *See also* DIRECT OBJECT.

INFINITIVE The infinitive is the 'basic' form of the verb as found in dictionaries. In English it is often preceded by **to**, eg **to eat, to finish, to take**. In Portuguese, infinitives may end in -ar, -er or -ir (eg trabalhar, correr, partir).

MODAL VERB Modal verbs are AUXILIARIES used in conjunction with another verb in order to express a 'mood', such as wanting, liking, obligation, ability and possibility, eg **I *would* like to go home, *Could* you take me?**

MOOD The name given to the four main areas within which a verb is conjugated. *See* INDICATIVE, SUBJUNCTIVE, CONDITIONAL, IMPERATIVE.

PASSIVE A verb is used in the passive when the subject of the verb does not perform the action but is subjected to it. In English, the passive is formed with a part of the verb **to be** and the PAST PARTICIPLE of the verb, eg **he was rewarded**.

PAST PARTICIPLE The past participle of a verb is the form which is used after *to have* in English, eg **I have *eaten*, I have *said*, you have *tried***.

PERSON   In any **TENSE**, there are three persons in the singular (1st: I ..., 2nd: you ..., 3rd: he/she/it ...), and three in the plural (1st: we ..., 2nd: you ..., 3rd: they ...). Note that in Portuguese the 3rd person is also used with the polite forms of 'you', eg você, o senhor, as senhoras.

PRESENT PARTICIPLE   The present participle is the verb form which ends in -ing in English, and -ando, -endo or -indo in Portuguese. It is also known as the **GERUND**.

REFLEXIVE   Reflexive verbs 'reflect' the action back onto the subject (eg I dressed myself). They are always found with a reflexive pronoun and are more common in Portuguese than in English.

SIMPLE TENSE   A simple tense is one in which the verb form consists of only one word (unlike a COMPOUND TENSE), eg falo, veremos, fomos.

STEM   The stem of a verb is its 'basic unit' to which the various endings are added. To find the stem of a Portuguese verb, remove -ar, -er or -ir from the inifinitive form. Some irregular verbs may have a different stem.

SUBJECT   The subject is the person or thing carrying out the action of a verb. In the sentences the train left early and she bought a CD, *the train* and *she* are the subjects.

SUBJUNCTIVE   The subjunctive is a verb form which is rarely used in English (eg if I *were* you, God *save* the Queen). It is more common in Portuguese.

SUBORDINATE CLAUSE   A group of words with a subject and a verb which is dependent on another clause, ie it cannot stand alone. For example, in he said he would leave, *he would leave* is the subordinate clause dependent on *he said*.

VOICE   The two voices of a verb are its **ACTIVE** and **PASSIVE** forms.

GRAMMATICAL INFORMATION

Note: Variants of Portuguese used in Brazil are marked in the text by [BP].

 A MAIN VERB CATEGORIES

1 REGULAR VERBS

There are three conjugations (verb groups) for regular Portuguese verbs. The ending of the infinitive indicates which conjugation the verb belongs to.

verbs ending in -ar belong to the first conjugation, eg falar
verbs ending in -er belong to the second conjugation, eg comer
verbs ending in -ir belong to the third conjugation, eg partir

All regular verbs follow the pattern of one of these conjugations.
Models for these and for a considerable number of irregular verbs are given in the verb tables of this book.

2 IRREGULAR VERBS

There are various verbs which do not conform to the regular pattern as exemplified by the above three models. They may have irregular spellings in one, or more, tenses. The most common irregular Portuguese verbs are:

ser (to be)	estar (to be)	dar (to give)
ter (to have)	haver (to have)	ver (to see)
vir (to come)	pôr (to put)	fazer (to do/make)
dizer (to say)	poder (to be able to)	

These are all given in the verb tables.

3 VERBS WITH SPELLING CHANGES

A number of verbs change their spelling in some persons and/or tenses in order to maintain the sound (hard or soft) of a consonant in the infinitive. The following changes occur:

VERB ENDING IN...	BEFORE A/O	BEFORE E/I	EXAMPLES
-car		qu	ficar/fiquei
-çar		c	começar/comecei
-cer	ç		conhecer/conheço
-gar		gu	pagar/paguei
-ger/-gir	j		dirigir/dirijo
-guer/guir	g		seguir/sigo

4 RADICAL-CHANGING VERBS

Some verbs change spelling slightly in the present indicative (mostly in the first person singular form), but this change will affect the spelling for the subjunctive forms. Examples are given in the verb tables, but the main changes are:

-ar and -er verbs: a few changes take place, such as:

boiar (to float) › **bóio**
recear (to fear) › **receio**
negociar (to negotiate) › **negoceio**
erguer (to rise) › **ergo**

Most changes occur in -ir verbs:

servir (to serve) › **sirvo**
cobrir (to cover) › **cubro**
preferir (to to prefer) › **prefiro**

5 REFLEXIVE VERBS

A reflexive verb is one where the subject and object of the action are the same person or thing, with the subject acting upon itself. To express this, the verb is used with a reflexive pronoun.

In Portugal, the normal position for the pronoun is at the end of the verb, joined to it by a hyphen. In Brazil the reflexive pronoun commonly appears before the verb. In both countries, in negative statements, with questions, and other circumstances, the pronoun precedes the verb.

levanto-me às sete horas
I get up at seven o'clock

eu chamo-me José [BP eu me chamo...]
my name is José

6 DEFECTIVE AND IMPERSONAL VERBS

Impersonal verbs are those which are found mostly in the 3rd person singular or plural ('it'/'they' form). Some are known as 'defective' verbs, as they might not have a full range of tenses.

ontem choveu toda a manhã
yesterday it rained all morning

faltavam 40 euros
40 euros were missing/short

dói-me a cabeça
my head hurts

 B USE OF TENSES

Tenses are formed by adding various endings to the stem of the verb (ie the verb minus -ar, -er, -ir).

The following section gives explanations and examples of usage of the various verb tenses and moods that are listed in the verb tables in this book.

1 SIMPLE TENSES

   a) The PRESENT TENSE is used:

      i) to express present states:

         estou bem
         I am well

  ii) to express habitual actions or states:

    não como carne
    I don't eat meat

  iii) to express general or universal facts:

a vida é dura	**o tempo voa**
life is difficult	time flies

  iv) to express the future:

volto já	**falamos amanhã**
I'll be right back	we'll talk tomorrow

  v) to convey the progressive, or continuous, form:

    ele estuda português
    he is studying Portuguese

  See also **Section D**.

  vi) in conjunction with há to express a *perfect tense*:

    há uma semana que não vejo a Maria
    I haven't seen Maria for a week

b) The IMPERFECT TENSE is used:

  i) to express something that was going on in the past:

    faziam muito barulho
    they were making a lot of noise

  ii) to refer to something that continued over a period
    of time, as opposed to something that happened at a
    specific point in time:

    enquanto dormiam, alguém levou o carro
    while they were sleeping, someone took their car

  iii) to describe repeated, or habitual, action that used to take
    place in the past:

    quando era pequeno, nadava todos os dias
    when he was young, he used to swim every day

iv) to describe or set the background of a narrative:

chovia muito e o vento soprava
it was raining a lot and the wind was blowing

v) in European Portuguese, as a colloquial replacement for the *conditional tense*:

gostava de comprar um carro
I would like to buy a car

vi) to express polite wishes:

queria um café
I would like a coffee

c) The PRETERITE, or SIMPLE PAST (PAST DEFINITE) TENSE is used:

i) to express an action that has been completed in the past:

ontem fomos ao teatro
yesterday we went to the theatre

o que bebeste?
what did you drink?

ii) to express the English 'have done':

ainda não fiz o trabalho   **viu o Pedro?**
I have still not done the work   have you seen Pedro?

d) The PLUPERFECT TENSE is used, as in English:

i) to express something that had happened in the past:

ele crescera no campo
he had grown up in the countryside

ii) to express a past action completed before another past action:

o rei partira antes da chegada do filho
the king had departed before his son's arrival

The *simple pluperfect tense* is only used in written Portuguese, and mostly in literary contexts. In everyday speech and writing, the *compound pluperfect* is used.

e) The FUTURE TENSE is used:

   i) to express future matters:

   este Inverno iremos ao Brasil
   this winter we'll go to Brazil

   ii) to express conjecture:

   onde estará neste momento?
   where can he be at this moment?

   será que ela me telefona?
   I wonder if she will phone me?

The future can also be expressed by using the verb ir in the present tense:

   vou fazer um bolo   **vão comer fora**
   I'm going to make a cake   they are going to eat out

Note that the future is often expressed by the present tense in Portuguese (*see* **a**) *above*).

f) The PRESENT CONDITIONAL TENSE is used:

   i) to express a wish or desire:

   gostaria de visitar o centro
   I would like to visit the town centre

   In European Portuguese, the *conditional* is often replaced by the *imperfect tense*, especially in the spoken language:

   o que gostavas de fazer?
   what would you like to do?

   ii) to refer to what would happen or what someone would do under certain circumstances:

   se ganhasse muito dinheiro, compraria um novo carro
   if I won a lot of money, I would buy a new car

   iii) to express probability in the past:

   seriam umas cinco horas
   it was probably five o'clock

iv) to express conjecture about the past:

seria que ele estava contente?
was he (really) happy?

2 COMPOUND TENSES

a) The (PRESENT) PERFECT TENSE is used to express an action
started in the past which usually continues into the present
or relates to the present. It may convey an action which has
been repeated, or continued a number of times.

tenho trabalhado muito ultimamente
I have worked/been working a lot lately

os preços têm aumentado
the prices have gone up/been going up

b) The PLUPERFECT TENSE is used, as detailed earlier:

i) to express something that had happened in the past:

a senhora tinha falado com o gerente
the lady had spoken with the manager

ii) to express a past action completed before another past
action:

eu já tinha comido quando eles chegaram
I had already eaten when they arrived

In everyday speech and writing, this *compound pluperfect* is
used. The *simple pluperfect* is found in literary work.

c) The FUTURE (PERFECT) TENSE is used:

i) to indicate that an action in the future will be completed
by the time a second action applies:

terei terminado o trabalho antes das seis horas
I will have finished the work before six o'clock

ii) to express a supposition about the present:

terá chegado?
will he have arrived?

d) The CONDITIONAL (PERFECT) TENSE is used to express what would have happened if something else had not interfered:

se tivessem chegado mais cedo, teriam visto o filme
if they had arrived earlier, they would have seen the film

3 SUBJUNCTIVE MOOD

The SUBJUNCTIVE is mainly used:

i) in conditional statements where the condition is unlikely to be fulfilled:

se tivesse mais tempo, visitaria a igreja
if I had more time, I would visit the church

se me tivesses pedido, teria emprestado o carro
if you had asked me, I would have lent you my car

se fosse a minha casa
if it were my house

ii) in subordinate clauses following verbs that express a subjective idea, emotion or opinion:

sinto muito que não possas vir
I'm very sorry you can't come

a minha mãe queria que eu fosse para a universidade
my mother wanted me to go to university

iii) with impersonal expressions:

é possível que ele venha hoje
it's possible that he'll come today

iv) with expressions of doubt:

duvido que elas saibam a verdade
I doubt whether they know the truth

não cria que ela tivesse feito isto
I didn't think she had done this

v) after relative clauses with indefinite, negative or interrogative antecedents:

conhece alguém que queira comprar um carro?
do you know anybody who wants to buy a car?

aqui não há ninguém que fale inglês
there is nobody here who can speak English

vi) in indefinite, or hypothetical, expressions:

onde quer que estejas, procuro-te
wherever you are, I'll look for you

por mais que se trabalhe, sempre há mais
however much you work, there's always more

vii) with verbs that imply a command or advice:

a minha amiga disse-lhe que se fosse embora
my friend told him to go away

aconselhei-lhes que comprassem o livro
I advised them to buy the book

viii) as the imperative, or command form:

fale mais baixo!
speak more quietly!

ix) after certain conjunctions and related expressions:

vou sair mesmo que chova
I'm going out even if it rains

oxalá ele venha amanhã
hopefully he'll come tomorrow

x) with certain adverbs of time, relating to the future:

quando for ao centro, compro um jornal
when I go to town, I'll buy a paper

xi) with special expressions:

até qualquer dia, seja quando for
until some day, whenever that may be

compramos aquela casa, custe o que custar
we'll buy that house at whatever cost

The choices of tense for the subjunctive mood depends on the tense of the main clause.

The present or perfect subjunctive are used when the verb in the main clause is in the present, future, perfect continuous and future perfect.

The imperfect or pluperfect subjunctive are used when the verb in the main clause is in the imperfect, preterite, conditional, pluperfect and conditional perfect.

The future subjunctive is used when the verb in the main clause is in the present, future and imperative.

quero que me digas a verdade
I want you to tell me the truth

disseram-lhe que viesse às sete
they told him to come at seven

gostaria que me mandasse as fotos
I would like you to send me the photos

duvido que tenha ido todos os dias
I doubt that she has been going every day

se tiver o tempo, faço-te um bolo
if I have time, I'll make you a cake

4 CONTINUOUS TENSES

The CONTINUOUS (PROGRESSIVE) TENSES are used to express an action that is, was, or will actually be taking place, or an action that is ongoing:

está a chover/está chovendo [BP]
it's raining

ela estava a tomar banho/estava tomando banho [BP]
she was having a bath

5 PRESENT PARTICIPLE (GERUND)

The PRESENT PARTICIPLE (GERUND) is used:

i) in Brazilian Portuguese with the verb estar to form the continuous tenses:

estou estudando alemão
I'm studying German

estávamos viajando
we were travelling

ii) on its own to express the idea of 'by doing':

lendo aprende-se muito
you learn a lot by reading

iii) in a subordinate clause, to express continuity of an action:

subiram a rua, rindo
they went up the street laughing

6 PAST PARTICIPLE

The PAST PARTICIPLE, in addition to its use in the compound tenses, is also used:

i) with the verb ser to form the *passive voice*:

a janela foi partida durante a noite
the window was broken during the night

ii) on its own as an adjective:

é um homem condenado
he's a condemned man

7 IMPERATIVE

The IMPERATIVE is used to give orders or to make suggestions:

venha cá!
come here!

tenham cuidado!
be careful!

não faça isso!
don't do that!

vamos!
let's go!

8 THE INFINITIVE

The INFINITIVE is used:

i) after a preposition:

partiu sem dizer nada
he left without saying anything

ii) as the direct object of another verb:

não posso comer carne
I can't eat meat

iii) as a noun (sometimes with an article):

o fumar não faz bem
smoking isn't good for you

iv) as an impersonal command, usually to the public:

pagar ao motorista
pay the driver

v) The *personal infinitive* reflects the person or persons carrying out the action:

é bom tu estares cá outra vez
it's good that you're here again

telefonem-me depois de chegarem
ring me when you've arrived

C   *SER* AND *ESTAR*

Both verbs translate the verb 'to be'.

SER is used to express:

i) identity:

sou a Maria   **ela é a minha tia**
I am Maria   she is my aunt

ii) origin or nationality:

ele é de Lisboa   **os meus amigos são irlandeses**
he is from Lisbon   my friends are Irish

iii) inherent qualities or characteristics:

a praia é grande
the beach is big

o meu irmão é bonito
my brother is good-looking

iv) profession and occupation:

a minha amiga é professora
my friend is a teacher

v) possession:

a caneta é do João
the pen is John's

vi) the material from which something is made:

os brincos são de prata
the earrings are made of silver

vii) expressions of time:

é meio-dia
it's mid-day

hoje é segunda-feira
today is Monday

viii) impersonal expressions:

é melhor ir cedo
it's better to go early

era incrível
it was incredible

ix) marital status:

somos casados
we are married

x) permanent location:

o banco é na rua Saraiva
the bank is on Saraiva Street

xi) with permanent weather features/climate:

como é o clima em Dinamarca?
what's the climate like in Denmark?

xii) in passive sentences:

a casa foi vendida
the house was sold

The PASSIVE VOICE can be avoided by:

i) using the reflexive pronoun se with the third person of the verb:

   o quadro já se vendeu
   the picture has already been sold

ii) using the third person plural of the verb:

   convidaram-me para a festa
   I was invited to the party

iii) changing the roles of subject and agent:

   o meu professor escreveu este livro
   this book was written by my teacher

ESTAR is used:

i) to indicate where someone or something is temporarily:

   a Ana está na cozinha   **os pratos estão na mesa**
   Ana is in the kitchen   the plates are on the table

ii) to express a temporary state, mood or condition:

   aquela senhora está triste   **estávamos cansados**
   that lady is sad   we were tired

iii) to form the continuous (progressive) tenses [BP]:

   estão jantando
   they are having dinner

iv) to express temporary weather conditions:

   está quente hoje
   it's hot today

v) with com, to substitute expressions using ter:

   estava com fome
   he was hungry

D VERBS FOLLOWED BY PREPOSITIONS

A number of verbs in Portuguese are followed by a preposition,
which may, or may not, correspond to the English. Here is a
selection of the most common:

VERBS FOLLOWED BY A	VERBS FOLLOWED BY DE
acostumar-se a	acabar de
ajudar a	acusar de
atrever-se a	acansar-se de
chegar a	deixar de
começar a	encarregar-se de
decidir-se a	fartar-se de
levar a	gostar de
obrigar a	impedir de
pôr-se a	lembrar-se de
voltar a	parar de

VERBS FOLLOWED BY EM	VERBS FOLLOWED BY POR
acreditar em	acabar por
concordar em	começar por
fazer bem em	dar por
insistir em	esforçar-se- por
pensar em	principiar por
vacilar em	terminar por

VERBS FOLLOWED BY COM	VERBS FOLLOWED BY PARA
casar-se com	dar para
contar com	ir para
dar com	olhar para
encontrar-se com	pedir para
parecer-se com	preparar-se para
sonhar com	sorrir para
	voltar para

Note: In the following verb tables the numbers 1, 2, 3 indicate the first, second and third person of the verb. In each block the second 1, 2, 3 are the plural forms. Note that the second person pronouns você, vocês, o senhor/a senhora and os senhores/as senhoras – 'you' in the singular and plural – are used with the third person of the verb.

In Brazilian Portuguese, the first person plural of regular -ar verbs is the same in the preterite tense as the present, unlike in European Portuguese, where it takes an accent on the a in the preterite.

The verb tables contain a number of verbs which may be used as a reflexive, or not. They are conjugated in the tables without their corresponding reflexive pronouns. However, there is an example of a reflexive verb for each of the regular conjugations (-ar/-er/-ir), with the full set of pronouns: verbs sentar-se, esquecer-se and divertir-se.

The true imperative exists only in the tu and vós forms in Portuguese; all other forms (and all negative commands) use the subjunctive. However, for ease of reference, the verb tables include an imperative section that covers all forms.

PRESENT	IMPERFECT	FUTURE
1. abandono	abandonava	abandonarei
2. abandonas	abandonavas	abandonarás
3. abandona	abandonava	abandonará
1. abandonamos	abandonávamos	abandonaremos
2. abandonais	abandonáveis	abandonareis
3. abandonam	abandonavam	abandonarão

PRETERITE	PERFECT	PLUPERFECT
1. abandonei	tenho abandonado	abandonara
2. abandonaste	tens abandonado	abandonaras
3. abandonou	tem abandonado	abandonara
1. abandonámos	temos abandonado	abandonáramos
2. abandonastes	tendes abandonado	abandonáreis
3. abandonaram	têm abandonado	abandonaram

PLUPERFECT (COMPOUND)		FUTURE PERFECT
tinha abandonado *etc*		terei abandonado *etc*

CONDITIONAL

IMPERATIVE

PRESENT	PERFECT	
1. abandonaria	teria abandonado	
2. abandonarias	terias abandonado	abandona
3. abandonaria	teria abandonado	abandone
1. abandonaríamos	teríamos abandonado	abandonemos
2. abandonaríeis	teríeis abandonado	abandonai
3. abandonariam	teriam abandonado	abandonem

SUBJUNCTIVE

PRESENT	IMPERFECT	FUTURE
1. abandone	abandonasse	abandonar
2. abandones	abandonasses	abandonares
3. abandone	abandonasse	abandonar
1. abandonemos	abandonássemos	abandonarmos
2. abandoneis	abandonásseis	abandonardes
3. abandonem	abandonassem	abandonarem

PERFECT	PLUPERFECT	FUTURE PERFECT
tenha abandonado *etc*	tivesse abandonado *etc*	tiver abandonado *etc*

INFINITIVE	PERSONAL INFINITIVE	PARTICIPLE
PRESENT abandonar	1. abandonar 1. abandonarmos	**PRESENT** abandonando
PAST ter abandonado	2. abandonares 2. abandonardes	**PAST** abandonado
	3. abandonar 3. abandonarem	

ABORRECER
2   *to bore; to upset; to annoy, to bother*

PRESENT	IMPERFECT	FUTURE
1. aborreço	aborrecia	aborrecerei
2. aborreces	aborrecias	aborrecerás
3. aborrece	aborrecia	aborrecerá
1. aborrecemos	aborrecíamos	aborreceremos
2. aborreceis	aborrecíeis	aborrecereis
3. aborrecem	aborreciam	aborrecerão

PRETERITE	PERFECT	PLUPERFECT
1. aborreci	tenho aborrecido	aborrecera
2. aborreceste	tens aborrecido	aborreceras
3. aborreceu	tem aborrecido	aborrecera
1. aborrecemos	temos aborrecido	aborrecêramos
2. aborrecestes	tendes aborrecido	aborrecêreis
3. aborreceram	têm aborrecido	aborreceram

PLUPERFECT (COMPOUND)	FUTURE PERFECT
tinha aborrecido *etc*	terei aborrecido *etc*

CONDITIONAL

IMPERATIVE

PRESENT	PERFECT	
1. aborreceria	teria aborrecido	
2. aborrecerias	terias aborrecido	
3. aborreceria	teria aborrecido	aborrece
1. aborreceríamos	teríamos aborrecido	aborreça
2. aborreceríeis	teríeis aborrecido	aborreçamos
3. aborreceriam	teriam aborrecido	aborrecei
		aborreçam

SUBJUNCTIVE

PRESENT	IMPERFECT	FUTURE
1. aborreça	aborrecesse	aborrecer
2. aborreças	aborrecesses	aborreceres
3. aborreça	aborrecesse	aborrecer
1. aborreçamos	aborrecêssemos	aborrecermos
2. aborreçais	aborrecêsseis	aborrecerdes
3. aborreçam	aborrecessem	aborrecerem

PERFECT	PLUPERFECT	FUTURE PERFECT
tenha aborrecido *etc*	tivesse aborrecido *etc*	tiver aborrecido *etc*

INFINITIVE

PERSONAL INFINITIVE

PARTICIPLE

PRESENT aborrecer	1. aborrecer	1. aborrecermos
PAST ter aborrecido	2. aborreceres	2. aborrecerdes
	3. aborrecer	3. aborrecerem

| **PRESENT** aborrecendo |
| **PAST** aborrecido |

PRESENT	IMPERFECT	FUTURE
1. abraço	abraçava	abraçarei
2. abraças	abraçavas	abraçarás
3. abraça	abraçava	abraçará
1. abraçamos	abraçávamos	abraçaremos
2. abraçais	abraçáveis	abraçareis
3. abraçam	abraçavam	abraçarão

PRETERITE	PERFECT	PLUPERFECT
1. abracei	tenho abraçado	abraçara
2. abraçaste	tens abraçado	abraçaras
3. abraçou	tem abraçado	abraçara
1. abraçámos	temos abraçado	abraçáramos
2. abraçastes	tendes abraçado	abraçáreis
3. abraçaram	têm abraçado	abraçaram

PLUPERFECT (COMPOUND)	FUTURE PERFECT
tinha abraçado *etc*	terei abraçado *etc*

CONDITIONAL

IMPERATIVE

PRESENT	PERFECT	
1. abraçaria	teria abraçado	
2. abraçarias	terias abraçado	abraça
3. abraçaria	teria abraçado	abrace
1. abraçaríamos	teríamos abraçado	abracemos
2. abraçaríeis	teríeis abraçado	abraçai
3. abraçariam	teriam abraçado	abracem

SUBJUNCTIVE

PRESENT	IMPERFECT	FUTURE
1. abrace	abraçasse	abraçar
2. abraces	abraçasses	abraçares
3. abrace	abraçasse	abraçar
1. abracemos	abraçássemos	abraçarmos
2. abraceis	abraçásseis	abraçardes
3. abracem	abraçassem	abraçarem

PERFECT	PLUPERFECT	FUTURE PERFECT
tenha abraçado *etc*	tivesse abraçado *etc*	tiver abraçado *etc*

INFINITIVE

PERSONAL INFINITIVE

PARTICIPLE

PRESENT abraçar	1. abraçar	1. abraçarmos	**PRESENT** abraçando
PAST ter abraçado	2. abraçares	2. abraçardes	**PAST** abraçado
	3. abraçar	3. abraçarem	

ABRIR
4 *to open*

PRESENT	IMPERFECT	FUTURE
1. abro	abria	abrirei
2. abres	abrias	abrirás
3. abre	abria	abrirá
1. abrimos	abríamos	abriremos
2. abris	abríeis	abrireis
3. abrem	abriam	abrirão

PRETERITE	PERFECT	PLUPERFECT
1. abri	tenho aberto	abrira
2. abriste	tens aberto	abriras
3. abriu	tem aberto	abrira
1. abrimos	temos aberto	abríramos
2. abristes	tendes aberto	abríreis
3. abriram	têm aberto	abriram

PLUPERFECT (COMPOUND)		FUTURE PERFECT
tinha aberto *etc*		terei aberto *etc*

CONDITIONAL

IMPERATIVE

PRESENT	PERFECT	
1. abriria	teria aberto	
2. abririas	terias aberto	abre
3. abriria	teria aberto	abra
1. abriríamos	teríamos aberto	abramos
2. abriríeis	teríeis aberto	abri
3. abririam	teriam aberto	abram

SUBJUNCTIVE

PRESENT	IMPERFECT	FUTURE
1. abra	abrisse	abrir
2. abras	abrisses	abrires
3. abra	abrisse	abrir
1. abramos	abríssemos	abrirmos
2. abrais	abrísseis	abrirdes
3. abram	abrissem	abrirem

PERFECT	PLUPERFECT	FUTURE PERFECT
tenha aberto *etc*	tivesse aberto *etc*	tiver aberto *etc*

INFINITIVE

PERSONAL INFINITIVE

PARTICIPLE

PRESENT abrir	1. abrir	1. abrirmos	PRESENT abrindo
PAST ter aberto	2. abrires	2. abrirdes	PAST aberto
	3. abrir	3. abrirem	

PRESENT	IMPERFECT	FUTURE
1. acabo	acabava	acabarei
2. acabas	acabavas	acabarás
3. acaba	acabava	acabará
1. acabamos	acabávamos	acabaremos
2. acabais	acabáveis	acabareis
3. acabam	acabavam	acabarão

PRETERITE	PERFECT	PLUPERFECT
1. acabei	tenho acabado	acabara
2. acabaste	tens acabado	acabaras
3. acabou	tem acabado	acabara
1. acabámos	temos acabado	acabáramos
2. acabastes	tendes acabado	acabáreis
3. acabaram	têm acabado	acabaram

PLUPERFECT (COMPOUND)
tinha acabado *etc*

FUTURE PERFECT
terei acabado *etc*

CONDITIONAL

IMPERATIVE

PRESENT	PERFECT	
1. acabaria	teria acabado	
2. acabarias	terias acabado	acaba
3. acabaria	teria acabado	acabe
1. acabaríamos	teríamos acabado	acabemos
2. acabaríeis	teríeis acabado	acabai
3. acabariam	teriam acabado	acabem

SUBJUNCTIVE

PRESENT	IMPERFECT	FUTURE
1. acabe	acabasse	acabar
2. acabes	acabasses	acabares
3. acabe	acabasse	acabar
1. acabemos	acabássemos	acabarmos
2. acabeis	acabásseis	acabardes
3. acabem	acabassem	acabarem

PERFECT	PLUPERFECT	FUTURE PERFECT
tenha acabado *etc*	tivesse acabado *etc*	tiver acabado *etc*

INFINITIVE

PERSONAL INFINITIVE

PARTICIPLE

PRESENT acabar
PAST ter acabado

1. acabar	1. acabarmos
2. acabares	2. acabardes
3. acabar	3. acabarem

PRESENT acabando
PAST acabado

ACEITAR
6 to accept

PRESENT	IMPERFECT	FUTURE
1. aceito	aceitava	aceitarei
2. aceitas	aceitavas	aceitarás
3. aceita	aceitava	aceitará
1. aceitamos	aceitávamos	aceitaremos
2. aceitais	aceitáveis	aceitareis
3. aceitam	aceitavam	aceitarão

PRETERITE	PERFECT	PLUPERFECT
1. aceitei	tenho aceitado	aceitara
2. aceitaste	tens aceitado	aceitaras
3. aceitou	tem aceitado	aceitara
1. aceitámos	temos aceitado	aceitáramos
2. aceitastes	tendes aceitado	aceitáreis
3. aceitaram	têm aceitado	aceitaram

PLUPERFECT (COMPOUND)
tinha aceitado *etc*

FUTURE PERFECT
terei aceitado *etc*

CONDITIONAL

IMPERATIVE

PRESENT	PERFECT	
1. aceitaria	teria aceitado	
2. aceitarias	terias aceitado	aceita
3. aceitaria	teria aceitado	aceite
1. aceitaríamos	teríamos aceitado	aceitemos
2. aceitaríeis	teríeis aceitado	aceitai
3. aceitariam	teriam aceitado	aceitem

SUBJUNCTIVE

PRESENT	IMPERFECT	FUTURE
1. aceite	aceitasse	aceitar
2. aceites	aceitasses	aceitares
3. aceite	aceitasse	aceitar
1. aceitemos	aceitássemos	aceitarmos
2. aceiteis	aceitásseis	aceitardes
3. aceitem	aceitassem	aceitarem

PERFECT	PLUPERFECT	FUTURE PERFECT
tenha aceitado *etc*	tivesse aceitado *etc*	tiver aceitado *etc*

INFINITIVE

PERSONAL INFINITIVE

PARTICIPLE

PRESENT aceitar

PAST ter aceitado

1. aceitar	1. aceitarmos
2. aceitares	2. aceitardes
3. aceitar	3. aceitarem

PRESENT aceitando

PAST aceitado/
aceite [BP aceito]

PRESENT	**IMPERFECT**	**FUTURE**
1. acendo	acendia	acenderei
2. acendes	acendias	acenderás
3. acende	acendia	acenderá
1. acendemos	acendíamos	acenderemos
2. acendeis	acendíeis	acendereis
3. acendem	acendiam	acenderão

PRETERITE	**PERFECT**	**PLUPERFECT**
1. acendi	tenho acendido	acendera
2. acendeste	tens acendido	acenderas
3. acendeu	tem acendido	acendera
1. acendemos	temos acendido	acendêramos
2. acendestes	tendes acendido	acendêreis
3. acenderam	têm acendido	acenderam

PLUPERFECT (COMPOUND)	**FUTURE PERFECT**
tinha acendido *etc*	terei acendido *etc*

CONDITIONAL

PRESENT	**PERFECT**	**IMPERATIVE**
1. acenderia	teria acendido	
2. acenderias	terias acendido	acende
3. acenderia	teria acendido	acenda
1. acenderíamos	teríamos acendido	acendamos
2. acenderíeis	teríeis acendido	acendei
3. acenderiam	teriam acendido	acendam

SUBJUNCTIVE

PRESENT	**IMPERFECT**	**FUTURE**
1. acenda	acendesse	acender
2. acendas	acendesses	acenderes
3. acenda	acendesse	acender
1. acendamos	acendêssemos	acendermos
2. acendais	acendêsseis	acenderdes
3. acendam	acendessem	acenderem

PERFECT	**PLUPERFECT**	**FUTURE PERFECT**
tenha acendido *etc*	tivesse acendido *etc*	tiver acendido *etc*

INFINITIVE

PRESENT acender
PAST ter acendido

PERSONAL INFINITIVE

1. acender	1. acendermos
2. acenderes	2. acenderdes
3. acender	3. acenderem

PARTICIPLE

PRESENT acendendo
PAST acendido/aceso

PRESENT	IMPERFECT	FUTURE
1. acho	achava	acharei
2. achas	achavas	acharás
3. acha	achava	achará
1. achamos	achávamos	acharemos
2. achais	acháveis	achareis
3. acham	achavam	acharão

PRETERITE	PERFECT	PLUPERFECT
1. achei	tenho achado	achara
2. achaste	tens achado	acharas
3. achou	tem achado	achara
1. achámos	temos achado	acháramos
2. achastes	tendes achado	acháreis
3. acharam	têm achado	acharam

PLUPERFECT (COMPOUND)	FUTURE PERFECT
tinha achado *etc*	terei achado *etc*

CONDITIONAL

IMPERATIVE

PRESENT	PERFECT	
1. acharia	teria achado	
2. acharias	terias achado	acha
3. acharia	teria achado	ache
1. acharíamos	teríamos achado	achemos
2. acharíeis	teríeis achado	achai
3. achariam	teriam achado	achem

SUBJUNCTIVE

PRESENT	IMPERFECT	FUTURE
1. ache	achasse	achar
2. aches	achasses	achares
3. ache	achasse	achar
1. achemos	achássemos	acharmos
2. acheis	achásseis	achardes
3. achem	achassem	acharem

PERFECT	PLUPERFECT	FUTURE PERFECT
tenha achado *etc*	tivesse achado *etc*	tiver achado *etc*

INFINITIVE

PERSONAL INFINITIVE

PARTICIPLE

INFINITIVE	PERSONAL INFINITIVE		PARTICIPLE
PRESENT achar	1. achar	1. acharmos	**PRESENT** achando
PAST ter achado	2. achares	2. achardes	**PAST** achado
	3. achar	3. acharem	

PRESENT	IMPERFECT	FUTURE
1. acomodo	acomodava	acomodarei
2. acomodas	acomodavas	acomodarás
3. acomoda	acomodava	acomodará
1. acomodamos	acomodávamos	acomodaremos
2. acomodais	acomodáveis	acomodareis
3. acomodam	acomodavam	acomodarão

PRETERITE	PERFECT	PLUPERFECT
1. acomodei	tenho acomodado	acomodara
2. acomodaste	tens acomodado	acomodaras
3. acomodou	tem acomodado	acomodara
1. acomodámos	temos acomodado	acomodáramos
2. acomodastes	tendes acomodado	acomodáreis
3. acomodaram	têm acomodado	acomodaram

PLUPERFECT (COMPOUND)
tinha acomodado *etc*

FUTURE PERFECT
terei acomodado *etc*

CONDITIONAL

IMPERATIVE

PRESENT	PERFECT	
1. acomodaria	teria acomodado	
2. acomodarias	terias acomodado	acomoda
3. acomodaria	teria acomodado	acomode
1. acomodaríamos	teríamos acomodado	acomodemos
2. acomodaríeis	teríeis acomodado	acomodai
3. acomodariam	teriam acomodado	acomodem

SUBJUNCTIVE

PRESENT	IMPERFECT	FUTURE
1. acomode	acomodasse	acomodar
2. acomodes	acomodasses	acomodares
3. acomode	acomodasse	acomodar
1. acomodemos	acomodássemos	acomodarmos
2. acomodeis	acomodásseis	acomodardes
3. acomodem	acomodassem	acomodarem

PERFECT	PLUPERFECT	FUTURE PERFECT
tenha acomodado *etc*	tivesse acomodado *etc*	tiver acomodado *etc*

INFINITIVE

PERSONAL INFINITIVE

PARTICIPLE

PRESENT acomodar	1. acomodar	1. acomodarmos	**PRESENT** acomodando
PAST ter acomodado	2. acomodares	2. acomodardes	**PAST** acomodado
	3. acomodar	3. acomodarem	

ACONTECER
10   *to happen, to take place, to occur*

PRESENT	IMPERFECT	FUTURE
1.		
2.		
3. acontece	acontecia	acontecerá
1.		
2.		
3. acontecem	aconteciam	acontecerão

PRETERITE	PERFECT	PLUPERFECT
1.		
2.		
3. aconteceu	tem acontecido	acontecera
1.		
2.		
3. aconteceram	têm acontecido	aconteceram

PLUPERFECT (COMPOUND)		FUTURE PERFECT
tinha acontecido *etc*		terá acontecido *etc*

CONDITIONAL

PRESENT	PERFECT
1.	
2.	
3. aconteceria	teria acontecido
1.	
2.	
3. aconteceriam	teriam acontecido

SUBJUNCTIVE

PRESENT	IMPERFECT	FUTURE
1.		
2.		
3. aconteça	acontecesse	acontecer
1.		
2.		
3. aconteçam	acontecessem	acontecerem

PERFECT	PLUPERFECT	FUTURE PERFECT
tenha acontecido *etc*	tivesse acontecido *etc*	tiver acontecido *etc*

INFINITIVE	PERSONAL INFINITIVE	PARTICIPLE
PRESENT acontecer		**PRESENT** acontecendo
PAST ter acontecido		**PAST** acontecido
	3. acontecer 3. acontecerem	

PRESENT	IMPERFECT	FUTURE
1. acordo	acordava	acordarei
2. acordas	acordavas	acordarás
3. acorda	acordava	acordará
1. acordamos	acordávamos	acordaremos
2. acordais	acordáveis	acordareis
3. acordam	acordavam	acordarão

PRETERITE	PERFECT	PLUPERFECT
1. acordei	tenho acordado	acordara
2. acordaste	tens acordado	acordaras
3. acordou	tem acordado	acordara
1. acordámos	temos acordado	acordáramos
2. acordastes	tendes acordado	acordáreis
3. acordaram	têm acordado	acordaram

PLUPERFECT (COMPOUND)		FUTURE PERFECT
tinha acordado *etc*		terei acordado *etc*

CONDITIONAL

IMPERATIVE

PRESENT	PERFECT	
1. acordaria	teria acordado	
2. acordarias	terias acordado	acorda
3. acordaria	teria acordado	acorde
1. acordaríamos	teríamos acordado	acordemos
2. acordaríeis	teríeis acordado	acordai
3. acordariam	teriam acordado	acordem

SUBJUNCTIVE

PRESENT	IMPERFECT	FUTURE
1. acorde	acordasse	acordar
2. acordes	acordasses	acordares
3. acorde	acordasse	acordar
1. acordemos	acordássemos	acordarmos
2. acordeis	acordásseis	acordardes
3. acordem	acordassem	acordarem

PERFECT	PLUPERFECT	FUTURE PERFECT
tenha acordado *etc*	tivesse acordado *etc*	tiver acordado *etc*

INFINITIVE

PERSONAL INFINITIVE

PARTICIPLE

PRESENT acordar

PAST ter acordado

1. acordar	1. acordarmos
2. acordares	2. acordardes
3. acordar	3. acordarem

PRESENT acordando

PAST acordado

PRESENT	IMPERFECT	FUTURE
1. acudo	acudia	acudirei
2. acodes	acudias	acudirás
3. acode	acudia	acudirá
1. acudimos	acudíamos	acudiremos
2. acudis	acudíeis	acudireis
3. acodem	acudiam	acudirão

PRETERITE	PERFECT	PLUPERFECT
1. acudi	tenho acudido	acudira
2. acudiste	tens acudido	acudiras
3. acudiu	tem acudido	acudira
1. acudimos	temos acudido	acudíramos
2. acudistes	tendes acudido	acudíreis
3. acudiram	têm acudido	acudiram

PLUPERFECT (COMPOUND)	FUTURE PERFECT
tinha acudido _etc_	terei acudido _etc_

CONDITIONAL   IMPERATIVE

PRESENT	PERFECT	
1. acudiria	teria acudido	
2. acudirias	terias acudido	acode
3. acudiria	teria acudido	acuda
1. acudiríamos	teríamos acudido	acudamos
2. acudiríeis	teríeis acudido	acudi
3. acudiriam	teriam acudido	acudam

SUBJUNCTIVE

PRESENT	IMPERFECT	FUTURE
1. acuda	acudisse	acudir
2. acudas	acudisses	acudires
3. acuda	acudisse	acudir
1. acudamos	acudíssemos	acudirmos
2. acudais	acudísseis	acudirdes
3. acudam	acudissem	acudirem

PERFECT	PLUPERFECT	FUTURE PERFECT
tenha acudido _etc_	tivesse acudido _etc_	tiver acudido _etc_

INFINITIVE   PERSONAL INFINITIVE   PARTICIPLE

PRESENT acudir	1. acudir	1. acudirmos	**PRESENT** acudindo
PAST ter acudido	2. acudires	2. acudirdes	**PAST** acudido
	3. acudir	3. acudirem	

PRESENT	IMPERFECT	FUTURE
1. acumulo	acumulava	acumularei
2. acumulas	acumulavas	acumularás
3. acumula	acumulava	acumulará
1. acumulamos	acumulávamos	acumularemos
2. acumulais	acumuláveis	acumulareis
3. acumulam	acumulavam	acumularão

PRETERITE	PERFECT	PLUPERFECT
1. acumulei	tenho acumulado	acumulara
2. acumulaste	tens acumulado	acumularas
3. acumulou	tem acumulado	acumulara
1. acumulámos	temos acumulado	acumuláramos
2. acumulastes	tendes acumulado	acumuláreis
3. acumularam	têm acumulado	acumularam

PLUPERFECT (COMPOUND)
tinha acumulado *etc*

FUTURE PERFECT
terei acumulado *etc*

CONDITIONAL

PRESENT	PERFECT
1. acumularia	teria acumulado
2. acumularias	terias acumulado
3. acumularia	teria acumulado
1. acumularíamos	teríamos acumulado
2. acumularíeis	teríeis acumulado
3. acumulariam	teriam acumulado

IMPERATIVE

acumula
acumule
acumulemos
acumulai
acumulem

SUBJUNCTIVE

PRESENT	IMPERFECT	FUTURE
1. acumule	acumulasse	acumular
2. acumules	acumulasses	acumulares
3. acumule	acumulasse	acumular
1. acumulemos	acumulássemos	acumularmos
2. acumuleis	acumulásseis	acumulardes
3. acumulem	acumulassem	acumularem

PERFECT	PLUPERFECT	FUTURE PERFECT
tenha acumulado *etc*	tivesse acumulado *etc*	tiver acumulado *etc*

INFINITIVE

PRESENT acumular
PAST ter acumulado

PERSONAL INFINITIVE

1. acumular	1. acumularmos
2. acumulares	2. acumulardes
3. acumular	3. acumularem

PARTICIPLE

PRESENT acumulando
PAST acumulado

ADORMECER
14 *to fall asleep*

PRESENT	IMPERFECT	FUTURE
1. adormeço	adormecia	adormecerei
2. adormeces	adormecias	adormecerás
3. adormece	adormecia	adormecerá
1. adormecemos	adormecíamos	adormeceremos
2. adormeceis	adormecíeis	adormecereis
3. adormecem	adormeciam	adormecerão

PRETERITE	PERFECT	PLUPERFECT
1. adormeci	tenho adormecido	adormecera
2. adormeceste	tens adormecido	adormeceras
3. adormeceu	tem adormecido	adormecera
1. adormecemos	temos adormecido	adormecêramos
2. adormecestes	tendes adormecido	adormecêreis
3. adormeceram	têm adormecido	adormeceram

PLUPERFECT (COMPOUND)	FUTURE PERFECT
tinha adormecido *etc*	terei adormecido *etc*

CONDITIONAL

IMPERATIVE

PRESENT	PERFECT	
1. adormeceria	teria adormecido	
2. adormecerias	terias adormecido	adormece
3. adormeceria	teria adormecido	adormeça
1. adormeceríamos	teríamos adormecido	adormeçamos
2. adormeceríeis	teríeis adormecido	adormecei
3. adormeceriam	teriam adormecido	adormeçam

SUBJUNCTIVE

PRESENT	IMPERFECT	FUTURE
1. adormeça	adormecesse	adormecer
2. adormeças	adormecesses	adormeceres
3. adormeça	adormecesse	adormecer
1. adormeçamos	adormecêssemos	adormecermos
2. adormeçais	adormecêsseis	adormecerdes
3. adormeçam	adormecessem	adormecerem

PERFECT	PLUPERFECT	FUTURE PERFECT
tenha adormecido *etc*	tivesse adormecido *etc*	tiver adormecido *etc*

INFINITIVE

PERSONAL INFINITIVE

PARTICIPLE

PRESENT adormecer

PAST ter adormecido

1. adormecer	1. adormecermos
2. adormeceres	2. adormecerdes
3. adormecer	3. adormecerem

PRESENT adormecendo

PAST adormecido

PRESENT	IMPERFECT	FUTURE
1. aflijo	afligia	afligirei
2. afliges	afligias	afligirás
3. aflige	afligia	afligirá
1. afligimos	afligíamos	afligiremos
2. afligis	afligíeis	afligireis
3. afligem	afligiam	afligirão

PRETERITE	PERFECT	PLUPERFECT
1. afligi	tenho afligido	afligira
2. afligiste	tens afligido	afligiras
3. afligiu	tem afligido	afligira
1. afligimos	temos afligido	afligíramos
2. afligistes	tendes afligido	afligíreis
3. afligiram	têm afligido	afligiram

PLUPERFECT (COMPOUND)	FUTURE PERFECT
tinha afligido *etc*	terei afligido *etc*

CONDITIONAL

IMPERATIVE

PRESENT	PERFECT	
1. afligiria	teria afligido	
2. afligirias	terias afligido	aflige
3. afligiria	teria afligido	aflija
1. afligiríamos	teríamos afligido	aflijamos
2. afligiríeis	teríeis afligido	afligi
3. afligiriam	teriam afligido	aflijam

SUBJUNCTIVE

PRESENT	IMPERFECT	FUTURE
1. aflija	afligisse	afligir
2. aflijas	afligisses	afligires
3. aflija	afligisse	afligir
1. aflijamos	afligíssemos	afligirmos
2. aflijais	afligísseis	afligirdes
3. aflijam	afligissem	afligirem

PERFECT	PLUPERFECT	FUTURE PERFECT
tenha afligido *etc*	tivesse afligido *etc*	tiver afligido *etc*

INFINITIVE

PERSONAL INFINITIVE

PARTICIPLE

INFINITIVE	PERSONAL INFINITIVE		PARTICIPLE
PRESENT afligir	1. afligir	1. afligirmos	PRESENT afligindo
PAST ter afligido	2. afligires	2. afligirdes	PAST afligido/aflito
	3. afligir	3. afligirem	

PRESENT	IMPERFECT	FUTURE
1. agradeço	agradecia	agradecerei
2. agradeces	agradecias	agradecerás
3. agradece	agradecia	agradecerá
1. agradecemos	agradecíamos	agradeceremos
2. agradeceis	agradecíeis	agradecereis
3. agradecem	agradeciam	agradecerão

PRETERITE	PERFECT	PLUPERFECT
1. agradeci	tenho agradecido	agradecera
2. agradeceste	tens agradecido	agradeceras
3. agradeceu	tem agradecido	agradecera
1. agradecemos	temos agradecido	agradecêramos
2. agradecestes	tendes agradecido	agradecêreis
3. agradeceram	têm agradecido	agradeceram

PLUPERFECT (COMPOUND)	FUTURE PERFECT
tinha agradecido *etc*	terei agradecido *etc*

CONDITIONAL

IMPERATIVE

PRESENT	PERFECT	
1. agradeceria	teria agradecido	
2. agradecerias	terias agradecido	agradece
3. agradeceria	teria agradecido	agradeça
1. agradeceríamos	teríamos agradecido	agradeçamos
2. agradeceríeis	teríeis agradecido	agradecei
3. agradeceriam	teriam agradecido	agradeçam

SUBJUNCTIVE

PRESENT	IMPERFECT	FUTURE
1. agradeça	agradecesse	agradecer
2. agradeças	agradecesses	agradeceres
3. agradeça	agradecesse	agradecer
1. agradeçamos	agradecêssemos	agradecermos
2. agradeçais	agradecêsseis	agradecerdes
3. agradeçam	agradecessem	agradecerem

PERFECT	PLUPERFECT	FUTURE PERFECT
tenha agradecido *etc*	tivesse agradecido *etc*	tiver agradecido *etc*

INFINITIVE

PERSONAL INFINITIVE

PARTICIPLE

PRESENT agradecer	1. agradecer	1. agradecermos
PAST ter agradecido	2. agradeceres	2. agradecerdes
	3. agradecer	3. agradecerem

PRESENT agradecendo
PAST agradecido

PRESENT	**IMPERFECT**	**FUTURE**
1. ajoelho	ajoelhava	ajoelharei
2. ajoelhas	ajoelhavas	ajoelharás
3. ajoelha	ajoelhava	ajoelhará
1. ajoelhamos	ajoelhávamos	ajoelharemos
2. ajoelhais	ajoelháveis	ajoelhareis
3. ajoelham	ajoelhavam	ajoelharão

PRETERITE	**PERFECT**	**PLUPERFECT**
1. ajoelhei	tenho ajoelhado	ajoelhara
2. ajoelhaste	tens ajoelhado	ajoelharas
3. ajoelhou	tem ajoelhado	ajoelhara
1. ajoelhámos	temos ajoelhado	ajoelháramos
2. ajoelhastes	tendes ajoelhado	ajoelháreis
3. ajoelharam	têm ajoelhado	ajoelharam

PLUPERFECT (COMPOUND)	**FUTURE PERFECT**
tinha ajoelhado *etc*	terei ajoelhado *etc*

CONDITIONAL

IMPERATIVE

PRESENT	**PERFECT**	
1. ajoelharia	teria ajoelhado	
2. ajoelharias	terias ajoelhado	ajoelha
3. ajoelharia	teria ajoelhado	ajoelhe
1. ajoelharíamos	teríamos ajoelhado	ajoelhemos
2. ajoelharíeis	teríeis ajoelhado	ajoelhai
3. ajoelhariam	teriam ajoelhado	ajoelhem

SUBJUNCTIVE

PRESENT	**IMPERFECT**	**FUTURE**
1. ajoelhe	ajoelhasse	ajoelhar
2. ajoelhes	ajoelhasses	ajoelhares
3. ajoelhe	ajoelhasse	ajoelhar
1. ajoelhemos	ajoelhássemos	ajoelharmos
2. ajoelheis	ajoelhásseis	ajoelhardes
3. ajoelhem	ajoelhassem	ajoelharem

PERFECT	**PLUPERFECT**	**FUTURE PERFECT**
tenha ajoelhado *etc*	tivesse ajoelhado *etc*	tiver ajoelhado *etc*

INFINITIVE

PERSONAL INFINITIVE

PARTICIPLE

PRESENT ajoelhar	1. ajoelhar	1. ajoelharmos	**PRESENT** ajoelhando
PAST ter ajoelhado	2. ajoelhares	2. ajoelhardes	**PAST** ajoelhado
	3. ajoelhar	3. ajoelharem	

PRESENT	IMPERFECT	FUTURE
1. alcanço	alcançava	alcançarei
2. alcanças	alcançavas	alcançarás
3. alcança	alcançava	alcançará
1. alcançamos	alcançávamos	alcançaremos
2. alcançais	alcançáveis	alcançareis
3. alcançam	alcançavam	alcançarão

PRETERITE	PERFECT	PLUPERFECT
1. alcancei	tenho alcançado	alcançara
2. alcançaste	tens alcançado	alcançaras
3. alcançou	tem alcançado	alcançara
1. alcançámos	temos alcançado	alcançáramos
2. alcançastes	tendes alcançado	alcançáreis
3. alcançaram	têm alcançado	alcançaram

PLUPERFECT (COMPOUND)	FUTURE PERFECT
tinha alcançado *etc*	terei alcançado *etc*

CONDITIONAL

IMPERATIVE

PRESENT	PERFECT	
1. alcançaria	teria alcançado	
2. alcançarias	terias alcançado	alcança
3. alcançaria	teria alcançado	alcance
1. alcançaríamos	teríamos alcançado	alcancemos
2. alcançaríeis	teríeis alcançado	alcançai
3. alcançariam	teriam alcançado	alcancem

SUBJUNCTIVE

PRESENT	IMPERFECT	FUTURE
1. alcance	alcançasse	alcançar
2. alcances	alcançasses	alcançares
3. alcance	alcançasse	alcançar
1. alcancemos	alcançássemos	alcançarmos
2. alcancei	alcançásseis	alcançardes
3. alcancem	alcançassem	alcançarem

PERFECT	PLUPERFECT	FUTURE PERFECT
tenha alcançado *etc*	tivesse alcançado *etc*	tiver alcançado *etc*

INFINITIVE

PERSONAL INFINITIVE

PARTICIPLE

PRESENT alcançar	1. alcançar	1. alcançarmos	**PRESENT** alcançando
PAST ter alcançado	2. alcançares	2. alcançardes	**PAST** alcançado
	3. alcançar	3. alcançarem	

PRESENT	IMPERFECT	FUTURE
1. alegro	alegrava	alegrarei
2. alegras	alegravas	alegrarás
3. alegra	alegrava	alegrará
1. alegramos	alegrávamos	alegraremos
2. alegrais	alegráveis	alegrareis
3. alegram	alegravam	alegrarão

PRETERITE	PERFECT	PLUPERFECT
1. alegrei	tenho alegrado	alegrara
2. alegraste	tens alegrado	alegraras
3. alegrou	tem alegrado	alegrara
1. alegrámos	temos alegrado	alegráramos
2. alegrastes	tendes alegrado	alegráreis
3. alegraram	têm alegrado	alegraram

PLUPERFECT (COMPOUND)	FUTURE PERFECT
tinha alegrado *etc*	terei alegrado *etc*

CONDITIONAL   ## *IMPERATIVE*

PRESENT	PERFECT	
1. alegraria	teria alegrado	
2. alegrarias	terias alegrado	alegra
3. alegraria	teria alegrado	alegre
1. alegraríamos	teríamos alegrado	alegremos
2. alegraríeis	teríeis alegrado	alegrai
3. alegrariam	teriam alegrado	alegrem

SUBJUNCTIVE

PRESENT	IMPERFECT	FUTURE
1. alegre	alegrasse	alegrar
2. alegres	alegrasses	alegrares
3. alegre	alegrasse	alegrar
1. alegremos	alegrássemos	alegrarmos
2. alegreis	alegrásseis	alegrardes
3. alegrem	alegrassem	alegrarem

PERFECT	PLUPERFECT	FUTURE PERFECT
tenha alegrado *etc*	tivesse alegrado *etc*	tiver alegrado *etc*

INFINITIVE   ## *PERSONAL INFINITIVE*   ## *PARTICIPLE*

PRESENT alegrar	1. alegrar	1. alegrarmos	**PRESENT** alegrando
PAST ter alegrado	2. alegrares	2. alegrardes	**PAST** alegrado
	3. alegrar	3. alegrarem	

ALMOÇAR

to have lunch

PRESENT	IMPERFECT	FUTURE
1. almoço	almoçava	almoçarei
2. almoças	almoçavas	almoçarás
3. almoça	almoçava	almoçará
1. almoçamos	almoçávamos	almoçaremos
2. almoçais	almoçáveis	almoçareis
3. almoçam	almoçavam	almoçarão

PRETERITE	PERFECT	PLUPERFECT
1. almocei	tenho almoçado	almoçara
2. almoçaste	tens almoçado	almoçaras
3. almoçou	tem almoçado	almoçara
1. almoçámos	temos almoçado	almoçáramos
2. almoçastes	tendes almoçado	almoçáreis
3. almoçaram	têm almoçado	almoçaram

PLUPERFECT (COMPOUND)	FUTURE PERFECT
tinha almoçado *etc*	terei almoçado *etc*

CONDITIONAL

IMPERATIVE

PRESENT	PERFECT	
1. almoçaria	teria almoçado	
2. almoçarias	terias almoçado	almoça
3. almoçaria	teria almoçado	almoce
1. almoçaríamos	teríamos almoçado	almoçemos
2. almoçaríeis	teríeis almoçado	almoçai
3. almoçariam	teriam almoçado	almocem

SUBJUNCTIVE

PRESENT	IMPERFECT	FUTURE
1. almoce	almoçasse	almoçar
2. almoces	almoçasses	almoçares
3. almoce	almoçasse	almoçar
1. almocemos	almoçássemos	almoçarmos
2. almoceis	almoçásseis	almoçardes
3. almocem	almoçassem	almoçarem

PERFECT	PLUPERFECT	FUTURE PERFECT
tenha almoçado *etc*	tivesse almoçado *etc*	tiver almoçado *etc*

INFINITIVE

PERSONAL INFINITIVE

PARTICIPLE

PRESENT almoçar	1. almoçar	1. almoçarmos	**PRESENT** almoçando
PAST ter almoçado	2. almoçares	2. almoçardes	**PAST** almoçado
	3. almoçar	3. almoçarem	

PRESENT	IMPERFECT	FUTURE
1. alugo	alugava	alugarei
2. alugas	alugavas	alugarás
3. aluga	alugava	alugará
1. alugamos	alugávamos	alugaremos
2. alugais	alugáveis	alugareis
3. alugam	alugavam	alugarão

PRETERITE	PERFECT	PLUPERFECT
1. aluguei	tenho alugado	alugara
2. alugaste	tens alugado	alugaras
3. alugou	tem alugado	alugara
1. alugámos	temos alugado	alugáramos
2. alugastes	tendes alugado	alugáreis
3. alugaram	têm alugado	alugaram

PLUPERFECT (COMPOUND)	FUTURE PERFECT
tinha alugado *etc*	terei alugado *etc*

CONDITIONAL

IMPERATIVE

PRESENT	PERFECT	
1. alugaria	teria alugado	
2. alugarias	terias alugado	aluga
3. alugaria	teria alugado	alugue
1. alugaríamos	teríamos alugado	aluguemos
2. alugaríeis	teríeis alugado	alugai
3. alugariam	teriam alugado	aluguem

SUBJUNCTIVE

PRESENT	IMPERFECT	FUTURE
1. alugue	alugasse	alugar
2. alugues	alugasses	alugares
3. alugue	alugasse	alugar
1. aluguemos	alugássemos	alugarmos
2. alugueis	alugásseis	alugardes
3. aluguem	alugassem	alugarem

PERFECT	PLUPERFECT	FUTURE PERFECT
tenha alugado *etc*	tivesse alugado *etc*	tiver alugado *etc*

INFINITIVE

PERSONAL INFINITIVE

PARTICIPLE

PRESENT alugar	1. alugar	1. alugarmos	PRESENT alugando
PAST ter alugado	2. alugares	2. alugardes	PAST alugado
	3. alugar	3. alugarem	

PRESENT	IMPERFECT	FUTURE
1.		
2.		
3. amanhece	amanhecia	amanhecerá
1.		
2.		
3. amanhecem	amanheciam	amanhecerão

PRETERITE	PERFECT	PLUPERFECT
1.		
2.		
3. amanheceu	tem amanhecido	amanhecera
1.		
2.		
3. amanheceram	têm amanhecido	amanheceram

PLUPERFECT (COMPOUND)		FUTURE PERFECT
tinha amanhecido *etc*		terá amanhecido *etc*

CONDITIONAL

PRESENT	PERFECT
1.	
2.	
3. amanheceria	teria amanhecido
1.	
2.	
3. amanheceriam	teriam amanhecido

SUBJUNCTIVE

PRESENT	IMPERFECT	FUTURE
1.		
2.		
3. amanheça	amanhecesse	amanhecer
1.		
2.		
3. amanheçam	amanhecessem	amanhecerem

PERFECT	PLUPERFECT	FUTURE PERFECT
tenha amanhecido *etc*	tivesse amanhecido *etc*	tiver amanhecido *etc*

INFINITIVE	*PERSONAL INFINITIVE*	*PARTICIPLE*
PRESENT amanhecer		**PRESENT** amanhecendo
PAST ter amanhecido		**PAST** amanhecido
	3. amanhecer 3. amanhecerem	

PRESENT	**IMPERFECT**	**FUTURE**
1. analiso	analisava	analisarei
2. analisas	analisavas	analisarás
3. analisa	analisava	analisará
1. analisamos	analisávamos	analisaremos
2. analisais	analisáveis	analisareis
3. analisam	analisavam	analisarão

PRETERITE	**PERFECT**	**PLUPERFECT**
1. analisei	tenho analisado	analisara
2. analisaste	tens analisado	analisaras
3. analisou	tem analisado	analisara
1. analisámos	temos analisado	analisáramos
2. analisastes	tendes analisado	analisáreis
3. analisaram	têm analisado	analisaram

PLUPERFECT (COMPOUND)
tinha analisado *etc*

FUTURE PERFECT
terei analisado *etc*

CONDITIONAL

PRESENT	**PERFECT**
1. analisaria	teria analisado
2. analisarias	terias analisado
3. analisaria	teria analisado
1. analisaríamos	teríamos analisado
2. analisaríeis	teríeis analisado
3. analisariam	teriam analisado

IMPERATIVE

analisa
analise
analisemos
analisai
analisem

SUBJUNCTIVE

PRESENT	**IMPERFECT**	**FUTURE**
1. analise	analisasse	analisar
2. analises	analisasses	analisares
3. analise	analisasse	analisar
1. analisemos	analisássemos	analisarmos
2. analiseis	analisásseis	analisardes
3. analisem	analisassem	analisarem

PERFECT
tenha analisado *etc*

PLUPERFECT
tivesse analisado *etc*

FUTURE PERFECT
tiver analisado *etc*

INFINITIVE

PRESENT analisar

PAST ter analisado

PERSONAL INFINITIVE

1. analisar	1. analisarmos
2. analisares	2. analisardes
3. analisar	3. analisarem

PARTICIPLE

PRESENT analisando

PAST analisado

ANDAR
24 to walk; to ride (bicycle etc)

PRESENT	IMPERFECT	FUTURE
1. ando	andava	andarei
2. andas	andavas	andarás
3. anda	andava	andará
1. andamos	andávamos	andaremos
2. andais	andáveis	andareis
3. andam	andavam	andarão

PRETERITE	PERFECT	PLUPERFECT
1. andei	tenho andado	andara
2. andaste	tens andado	andaras
3. andou	tem andado	andara
1. andámos	temos andado	andáramos
2. andastes	tendes andado	andáreis
3. andaram	têm andado	andaram

PLUPERFECT (COMPOUND)	FUTURE PERFECT
tinha andado *etc*	terei andado *etc*

CONDITIONAL

IMPERATIVE

PRESENT	PERFECT	
1. andaria	teria andado	
2. andarias	terias andado	anda
3. andaria	teria andado	ande
1. andaríamos	teríamos andado	andemos
2. andaríeis	teríeis andado	andai
3. andariam	teriam andado	andem

SUBJUNCTIVE

PRESENT	IMPERFECT	FUTURE
1. ande	andasse	andar
2. andes	andasses	andares
3. ande	andasse	andar
1. andemos	andássemos	andarmos
2. andeis	andásseis	andardes
3. andem	andassem	andarem

PERFECT	PLUPERFECT	FUTURE PERFECT
tenha andado *etc*	tivesse andado *etc*	tiver andado *etc*

INFINITIVE

PERSONAL INFINITIVE

PARTICIPLE

PRESENT andar	1. andar	1. andarmos	PRESENT andando
PAST ter andado	2. andares	2. andardes	PAST andado
	3. andar	3. andarem	

PRESENT	IMPERFECT	FUTURE
1.		
2.		
3. anoitece	anoitecia	anoitecerá
1.		
2.		
3. anoitecem	anoiteciam	anoitecerão

PRETERITE	PERFECT	PLUPERFECT
1.		
2.		
3. anoiteceu	tem anoitecido	anoitecera
1.		
2.		
3. anoiteceram	têm anoitecido	anoiteceram

PLUPERFECT (COMPOUND)		FUTURE PERFECT
tinha anoitecido *etc*		terá anoitecido *etc*

CONDITIONAL

PRESENT	PERFECT
1.	
2.	
3. anoiteceria	teria anoitecido
1.	
2.	
3. anoiteceriam	teriam anoitecido

SUBJUNCTIVE

PRESENT	IMPERFECT	FUTURE
1.		
2.		
3. anoiteça	anoitecesse	anoitecer
1.		
2.		
3. anoiteçam	anoitecessem	anoitecerem

PERFECT	PLUPERFECT	FUTURE PERFECT
tenha anoitecido *etc*	tivesse anoitecido *etc*	tiver anoitecido *etc*

INFINITIVE	PERSONAL INFINITIVE	PARTICIPLE
PRESENT anoitecer		**PRESENT** anoitecendo
PAST ter anoitecido		**PAST** anoitecido
	3. anoitecer 3. anoitecerem	

PRESENT	IMPERFECT	FUTURE
1. apago	apagava	apagarei
2. apagas	apagavas	apagarás
3. apaga	apagava	apagará
1. apagamos	apagávamos	apagaremos
2. apagais	apagáveis	apagareis
3. apagam	apagavam	apagarão

PRETERITE	PERFECT	PLUPERFECT
1. apaguei	tenho apagado	apagara
2. apagaste	tens apagado	apagaras
3. apagou	tem apagado	apagara
1. apagámos	temos apagado	apagáramos
2. apagastes	tendes apagado	apagáreis
3. apagaram	têm apagado	apagaram

PLUPERFECT (COMPOUND)	FUTURE PERFECT
tinha apagado *etc*	terei apagado *etc*

CONDITIONAL

IMPERATIVE

PRESENT	PERFECT	
1. apagaria	teria apagado	
2. apagarias	terias apagado	apaga
3. apagaria	teria apagado	apague
1. apagaríamos	teríamos apagado	apaguemos
2. apagaríeis	teríeis apagado	apagai
3. apagariam	teriam apagado	apaguem

SUBJUNCTIVE

PRESENT	IMPERFECT	FUTURE
1. apague	apagasse	apagar
2. apagues	apagasses	apagares
3. apague	apagasse	apagar
1. apaguemos	apagássemos	apagarmos
2. apagueis	apagásseis	apagardes
3. apaguem	apagassem	apagarem

PERFECT	PLUPERFECT	FUTURE PERFECT
tenha apagado *etc*	tivesse apagado *etc*	tiver apagado *etc*

INFINITIVE

PERSONAL INFINITIVE

PARTICIPLE

PRESENT apagar	1. apagar	1. apagarmos	**PRESENT** apagando	
PAST ter apagado	2. apagares	2. apagardes	**PAST** apagado	
	3. apagar	3. apagarem		

PRESENT
1. apareço
2. apareces
3. aparece
1. aparecemos
2. apareceis
3. aparecem

IMPERFECT
aparecia
aparecias
aparecia
aparecíamos
aparecíeis
apareciam

FUTURE
aparecerei
aparecerás
aparecerá
apareceremos
aparecereis
aparecerão

PRETERITE
1. apareci
2. apareceste
3. apareceu
1. aparecemos
2. aparecestes
3. apareceram

PERFECT
tenho aparecido
tens aparecido
tem aparecido
temos aparecido
tendes aparecido
têm aparecido

PLUPERFECT
aparecera
aparecera
aparecera
aparecêramos
aparecêreis
apareceram

PLUPERFECT (COMPOUND)
tinha aparecido *etc*

FUTURE PERFECT
terei aparecido *etc*

CONDITIONAL

PRESENT
1. apareceria
2. aparecerias
3. apareceria
1. apareceríamos
2. apareceríeis
3. apareceriam

PERFECT
teria aparecido
terias aparecido
teria aparecido
teríamos aparecido
teríeis aparecido
teriam aparecido

IMPERATIVE

aparece
apareça
apareçamos
aparecei
apareçam

SUBJUNCTIVE

PRESENT
1. apareça
2. apareças
3. apareça
1. apareçamos
2. apareçais
3. apareçam

IMPERFECT
aparecesse
aparecesses
aparecesse
aparecêssemos
aparecêsseis
aparecessem

FUTURE
aparecer
apareceres
aparecer
aparecermos
aparecerdes
aparecerem

PERFECT
tenha aparecido *etc*

PLUPERFECT
tivesse aparecido *etc*

FUTURE PERFECT
tiver aparecido *etc*

INFINITIVE

PRESENT aparecer
PAST ter aparecido

PERSONAL INFINITIVE

1. aparecer
2. apareceres
3. aparecer
1. aparecermos
2. aparecerdes
3. aparecerem

PARTICIPLE

PRESENT aparecendo
PAST aparecido

PRESENT	**IMPERFECT**	**FUTURE**
1. apeteço	apetecia	apetecerei
2. apeteces	apetecias	apetecerás
3. apetece	apetecia	apetecerá
1. apetecemos	apetecíamos	apeteceremos
2. apeteceis	apetecíeis	apetecereis
3. apetecem	apeteciam	apetecerão

PRETERITE	**PERFECT**	**PLUPERFECT**
1. apeteci	tenho apetecido	apetecera
2. apeteceste	tens apetecido	apeteceras
3. apeteceu	tem apetecido	apetecera
1. apetecemos	temos apetecido	apetecêramos
2. apetecestes	tendes apetecido	apetecêreis
3. apeteceram	têm apetecido	apeteceram

PLUPERFECT (COMPOUND)	**FUTURE PERFECT**
tinha apetecido *etc*	terei apetecido *etc*

CONDITIONAL

IMPERATIVE

PRESENT	**PERFECT**	
1. apeteceria	teria apetecido	
2. apetecerias	terias apetecido	apetece
3. apeteceria	teria apetecido	apeteça
1. apeteceríamos	teríamos apetecido	apeteçamos
2. apeteceríeis	teríeis apetecido	apetecei
3. apeteceriam	teriam apetecido	apeteçam

SUBJUNCTIVE

PRESENT	**IMPERFECT**	**FUTURE**
1. apeteça	apetecesse	apetecer
2. apeteças	apetecesses	apeteceres
3. apeteça	apetecesse	apetecer
1. apeteçamos	apetecêssemos	apetecermos
2. apeteçais	apetecêsseis	apetecerdes
3. apeteçam	apetecessem	apetecerem

PERFECT	**PLUPERFECT**	**FUTURE PERFECT**
tenha apetecido *etc*	tivesse apetecido *etc*	tiver apetecido *etc*

INFINITIVE

PERSONAL INFINITIVE

PARTICIPLE

INFINITIVE	**PERSONAL INFINITIVE**		**PARTICIPLE**
PRESENT apetecer	1. apetecer	1. apetecermos	**PRESENT** apetecendo
PAST ter apetecido	2. apeteceres	2. apetecerdes	**PAST** apetecido
	3. apetecer	3. apetecerem	

PRESENT	**IMPERFECT**	**FUTURE**
1. apodreço	apodrecia	apodrecerei
2. apodreces	apodrecias	apodrecerás
3. apodrece	apodrecia	apodrecerá
1. apodrecemos	apodrecíamos	apodreceremos
2. apodreceis	apodrecíeis	apodrecereis
3. apodrecem	apodreciam	apodrecerão

PRETERITE	**PERFECT**	**PLUPERFECT**
1. apodreci	tenho apodrecido	apodrecera
2. apodreceste	tens apodrecido	apodreceras
3. apodreceu	tem apodrecido	apodrecera
1. apodrecemos	temos apodrecido	apodrecêramos
2. apodrecestes	tendes apodrecido	apodrecêreis
3. apodreceram	têm apodrecido	apodreceram

PLUPERFECT (COMPOUND)
tinha apodrecido *etc*

FUTURE PERFECT
terei apodrecido *etc*

CONDITIONAL

PRESENT	**PERFECT**
1. apodreceria	teria apodrecido
2. apodrecerias	terias apodrecido
3. apodreceria	teria apodrecido
1. apodreceríamos	teríamos apodrecido
2. apodreceríeis	teríeis apodrecido
3. apodreceriam	teriam apodrecido

IMPERATIVE

apodrece
apodreça
apodreçamos
apodrecei
apodreçam

SUBJUNCTIVE

PRESENT	**IMPERFECT**	**FUTURE**
1. apodreça	apodrecesse	apodrecer
2. apodreças	apodrecesses	apodreceres
3. apodreça	apodrecesse	apodrecer
1. apodreçamos	apodrecêssemos	apodrecermos
2. apodreçais	apodrecêsseis	apodrecerdes
3. apodreçam	apodrecessem	apodrecerem

PERFECT	**PLUPERFECT**	**FUTURE PERFECT**
tenha apodrecido *etc*	tivesse apodrecido *etc*	tiver apodrecido *etc*

INFINITIVE

PRESENT apodrecer
PAST ter apodrecido

PERSONAL INFINITIVE

1. apodrecer	1. apodrecermos
2. apodreceres	2. apodrecerdes
3. apodrecer	3. apodrecerem

PARTICIPLE

PRESENT apodrecendo
PAST apodrecido

APRENDER
30 to learn

PRESENT	IMPERFECT	FUTURE
1. aprendo	aprendia	aprenderei
2. aprendes	aprendias	aprenderás
3. aprende	aprendia	aprenderá
1. aprendemos	aprendíamos	aprenderemos
2. aprendeis	aprendíeis	aprendereis
3. aprendem	aprendiam	aprenderão

PRETERITE	PERFECT	PLUPERFECT
1. aprendi	tenho aprendido	aprendera
2. aprendeste	tens aprendido	aprenderas
3. aprendeu	tem aprendido	aprendera
1. aprendemos	temos aprendido	aprendêramos
2. aprendestes	tendes aprendido	aprendêreis
3. aprenderam	têm aprendido	aprenderam

PLUPERFECT (COMPOUND)	FUTURE PERFECT
tinha aprendido *etc*	terei aprendido *etc*

CONDITIONAL

PRESENT	PERFECT	IMPERATIVE
1. aprenderia	teria aprendido	
2. aprenderias	terias aprendido	
3. aprenderia	teria aprendido	aprende
1. aprenderíamos	teríamos aprendido	aprenda
2. aprenderíeis	teríeis aprendido	aprendamos
3. aprenderiam	teriam aprendido	aprendei
		aprendam

SUBJUNCTIVE

PRESENT	IMPERFECT	FUTURE
1. aprenda	aprendesse	aprender
2. aprendas	aprendesses	aprenderes
3. aprenda	aprendesse	aprender
1. aprendamos	aprendêssemos	aprendermos
2. aprendais	aprendêsseis	aprenderdes
3. aprendam	aprendessem	aprenderem

PERFECT	PLUPERFECT	FUTURE PERFECT
tenha aprendido *etc*	tivesse aprendido *etc*	tiver aprendido *etc*

INFINITIVE	PERSONAL INFINITIVE		PARTICIPLE
PRESENT aprender	1. aprender	1. aprendermos	**PRESENT** aprendendo
PAST ter aprendido	2. aprenderes	2. aprenderdes	**PAST** aprendido
	3. aprender	3. aprenderem	

PRESENT	IMPERFECT	FUTURE
1. arranjo	arranjava	arranjarei
2. arranjas	arranjavas	arranjarás
3. arranja	arranjava	arranjará
1. arranjamos	arranjávamos	arranjaremos
2. arranjais	arranjáveis	arranjareis
3. arranjam	arranjavam	arranjarão

PRETERITE	PERFECT	PLUPERFECT
1. arranjei	tenho arranjado	arranjara
2. arranjaste	tens arranjado	arranjaras
3. arranjou	tem arranjado	arranjara
1. arranjámos	temos arranjado	arranjáramos
2. arranjastes	tendes arranjado	arranjáreis
3. arranjaram	têm arranjado	arranjaram

PLUPERFECT (COMPOUND)	FUTURE PERFECT
tinha arranjado *etc*	terei arranjado *etc*

CONDITIONAL

IMPERATIVE

PRESENT	PERFECT	
1. arranjaria	teria arranjado	
2. arranjarias	terias arranjado	
3. arranjaria	teria arranjado	arranja
1. arranjaríamos	teríamos arranjado	arranje
2. arranjaríeis	teríeis arranjado	arranjemos
3. arranjariam	teriam arranjado	arranjai
		arranjem

SUBJUNCTIVE

PRESENT	IMPERFECT	FUTURE
1. arranje	arranjasse	arranjar
2. arranjes	arranjasses	arranjares
3. arranje	arranjasse	arranjar
1. arranjemos	arranjássemos	arranjarmos
2. arranjeis	arranjásseis	arranjardes
3. arranjem	arranjassem	arranjarem

PERFECT	PLUPERFECT	FUTURE PERFECT
tenha arranjado *etc*	tivesse arranjado *etc*	tiver arranjado *etc*

INFINITIVE

PERSONAL INFINITIVE

PARTICIPLE

PRESENT arranjar

PAST ter arranjado

1. arranjar	1. arranjarmos
2. arranjares	2. arranjardes
3. arranjar	3. arranjarem

PRESENT arranjando

PAST arranjado

ARREBENTAR

32 *to burst, to break; to explode*

PRESENT	IMPERFECT	FUTURE
1. arrebento	arrebentava	arrebentarei
2. arrebentas	arrebentavas	arrebentarás
3. arrebenta	arrebentava	arrebentará
1. arrebentamos	arrebentávamos	arrebentaremos
2. arrebentais	arrebentáveis	arrebentareis
3. arrebentam	arrebentavam	arrebentarão

PRETERITE	PERFECT	PLUPERFECT
1. arrebentei	tenho arrebentado	arrebentara
2. arrebentaste	tens arrebentado	arrebentaras
3. arrebentou	tem arrebentado	arrebentara
1. arrebentámos	temos arrebentado	arrebentáramos
2. arrebentastes	tendes arrebentado	arrebentáreis
3. arrebentaram	têm arrebentado	arrebentaram

PLUPERFECT (COMPOUND)		FUTURE PERFECT
tinha arrebentado *etc*		terei arrebentado *etc*

CONDITIONAL

IMPERATIVE

PRESENT	PERFECT	
1. arrebentaria	teria arrebentado	
2. arrebentarias	terias arrebentado	arrebenta
3. arrebentaria	teria arrebentado	arrebente
1. arrebentaríamos	teríamos arrebentado	arrebentemos
2. arrebentaríeis	teríeis arrebentado	arrebentai
3. arrebentariam	teriam arrebentado	arrebentem

SUBJUNCTIVE

PRESENT	IMPERFECT	FUTURE
1. arrebente	arrebentasse	arrebentar
2. arrebentes	arrebentasses	arrebentares
3. arrebente	arrebentasse	arrebentar
1. arrebentemos	arrebentássemos	arrebentarmos
2. arrebenteis	arrebentásseis	arrebentardes
3. arrebentem	arrebentassem	arrebentarem

PERFECT	PLUPERFECT	FUTURE PERFECT
tenha arrebentado *etc*	tivesse arrebentado *etc*	tiver arrebentado *etc*

INFINITIVE

PERSONAL INFINITIVE

PARTICIPLE

PRESENT arrebentar	1. arrebentar	1. arrebentarmos	PRESENT arrebentando
PAST ter arrebentado	2. arrebentares	2. arrebentardes	PAST arrebentado
	3. arrebentar	3. arrebentarem	

PRESENT	IMPERFECT	FUTURE
1. assisto	assistia	assistirei
2. assistes	assistias	assistirás
3. assiste	assistia	assistirá
1. assistimos	assistíamos	assistiremos
2. assistis	assistíeis	assistireis
3. assistem	assistiam	assistirão

PRETERITE	PERFECT	PLUPERFECT
1. assisti	tenho assistido	assistira
2. assististe	tens assistido	assistiras
3. assistiu	tem assistido	assistira
1. assistimos	temos assistido	assistíramos
2. assististes	tendes assistido	assistíreis
3. assistiram	têm assistido	assistiram

PLUPERFECT (COMPOUND)
tinha assistido *etc*

FUTURE PERFECT
terei assistido *etc*

CONDITIONAL

IMPERATIVE

PRESENT	PERFECT	
1. assistiria	teria assistido	
2. assistirias	terias assistido	assiste
3. assistiria	teria assistido	assista
1. assistiríamos	teríamos assistido	assistamos
2. assistiríeis	teríeis assistido	assisti
3. assistiriam	teriam assistido	assistam

SUBJUNCTIVE

PRESENT	IMPERFECT	FUTURE
1. assista	assistisse	assistir
2. assistas	assistisses	assistires
3. assista	assistisse	assistir
1. assistamos	assistíssemos	assistirmos
2. assistais	assistísseis	assistirdes
3. assistam	assistissem	assistirem

PERFECT	PLUPERFECT	FUTURE PERFECT
tenha assistido *etc*	tivesse assistido *etc*	tiver assistido *etc*

INFINITIVE

PERSONAL INFINITIVE

PARTICIPLE

PRESENT assistir

PAST ter assistido

1. assistir	1. assistirmos
2. assistires	2. assistirdes
3. assistir	3. assistirem

PRESENT assistindo

PAST assistido

ASSOMBRAR

34 *to amaze; to haunt*

PRESENT	IMPERFECT	FUTURE
1. assombro	assombrava	assombrarei
2. assombras	assombravas	assombrarás
3. assombra	assombrava	assombrará
1. assombramos	assombrávamos	assombraremos
2. assombrais	assombráveis	assombrareis
3. assombram	assombravam	assombrarão

PRETERITE	PERFECT	PLUPERFECT
1. assombrei	tenho assombrado	assombrara
2. assombraste	tens assombrado	assombraras
3. assombrou	tem assombrado	assombrara
1. assombrámos	temos assombrado	assombráramos
2. assombrastes	tendes assombrado	assombráreis
3. assombraram	têm assombrado	assombraram

PLUPERFECT (COMPOUND)	FUTURE PERFECT
tinha assombrado *etc*	terei assombrado *etc*

CONDITIONAL

PRESENT	PERFECT	IMPERATIVE
1. assombraria	teria assombrado	
2. assombrarias	terias assombrado	assombra
3. assombraria	teria assombrado	assombre
1. assombraríamos	teríamos assombrado	assombremos
2. assombraríeis	teríeis assombrado	assombrai
3. assombrariam	teriam assombrado	assombrem

SUBJUNCTIVE

PRESENT	IMPERFECT	FUTURE
1. assombre	assombrasse	assombrar
2. assombres	assombrasses	assombrares
3. assombre	assombrasse	assombrar
1. assombremos	assombrássemos	assombrarmos
2. assombreis	assombrásseis	assombrardes
3. assombrem	assombrassem	assombrarem

PERFECT	PLUPERFECT	FUTURE PERFECT
tenha assombrado *etc*	tivesse assombrado *etc*	tiver assombrado *etc*

INFINITIVE

PRESENT assombrar

PAST ter assombrado

PERSONAL INFINITIVE

1. assombrar	1. assombrarmos
2. assombrares	2. assombrardes
3. assombrar	3. assombrarem

PARTICIPLE

PRESENT assombrando

PAST assombrado

PRESENT	**IMPERFECT**	**FUTURE**
1. atraio	atraía	atrairei
2. atrais	atraías	atrairás
3. atrai	atraía	atrairá
1. atraímos	atraíamos	atrairemos
2. atraís	atraíeis	atraireis
3. atraem	atraíam	atrairão

PRETERITE	**PERFECT**	**PLUPERFECT**
1. atraí	tenho atraído	atraíra
2. atraíste	tens atraído	atraíras
3. atraiu	tem atraído	atraíra
1. atraímos	temos atraído	atraíramos
2. atraístes	tendes atraído	atraíreis
3. atraíram	têm atraído	atraíram

PLUPERFECT (COMPOUND)	**FUTURE PERFECT**
tinha atraído *etc*	terei atraído *etc*

CONDITIONAL

IMPERATIVE

PRESENT	**PERFECT**	
1. atrairia	teria atraído	
2. atrairias	terias atraído	atrai
3. atrairia	teria atraído	atraia
1. atrairíamos	teríamos atraído	atraiamos
2. atrairíeis	teríeis atraído	atraí
3. atrairiam	teriam atraído	atraiam

SUBJUNCTIVE

PRESENT	**IMPERFECT**	**FUTURE**
1. atraia	atraísse	atrair
2. atraias	atraísses	atraíres
3. atraia	atraísse	atrair
1. atraiamos	atraíssemos	atraírmos
2. atraiais	atraísseis	atraírdes
3. atraiam	atraíssem	atraírem

PERFECT	**PLUPERFECT**	**FUTURE PERFECT**
tenha atraído *etc*	tivesse atraído *etc*	tiver atraído *etc*

INFINITIVE

PERSONAL INFINITIVE

PARTICIPLE

PRESENT atrair	1. atrair	1. atrairmos
PAST ter atraído	2. atraíres	2. atraírdes
	3. atrair	3. atraírem

PRESENT atraindo
PAST atraído

PRESENT	IMPERFECT	FUTURE
1. atravesso	atravessava	atravessarei
2. atravessas	atravessavas	atravessarás
3. atravessa	atravessava	atravessará
1. atravessamos	atravessávamos	atravessaremos
2. atravessais	atravessáveis	atravessareis
3. atravessam	atravessavam	atravessarão

PRETERITE	PERFECT	PLUPERFECT
1. atravessei	tenho atravessado	atravessara
2. atravessaste	tens atravessado	atravessaras
3. atravessou	tem atravessado	atravessara
1. atravessámos	temos atravessado	atravessáramos
2. atravessastes	tendes atravessado	atravessáreis
3. atravessaram	têm atravessado	atravessaram

PLUPERFECT (COMPOUND)		FUTURE PERFECT
tinha atravessado _etc_		terei atravessado _etc_

CONDITIONAL

IMPERATIVE

PRESENT	PERFECT	
1. atravessaria	teria atravessado	
2. atravessarias	terias atravessado	atravessa
3. atravessaria	teria atravessado	atravesse
1. atravessaríamos	teríamos atravessado	atravessemos
2. atravessaríeis	teríeis atravessado	atravessai
3. atravessariam	teriam atravessado	atravessem

SUBJUNCTIVE

PRESENT	IMPERFECT	FUTURE
1. atravesse	atravessasse	atravessar
2. atravesses	atravessasses	atravessares
3. atravesse	atravessasse	atravessar
1. atravessemos	atravessássemos	atravessarmos
2. atravesseis	atravessásseis	atravessardes
3. atravessem	atravessassem	atravessarem

PERFECT	PLUPERFECT	FUTURE PERFECT
tenha atravessado _etc_	tivesse atravessado _etc_	tiver atravessado _etc_

INFINITIVE

PERSONAL INFINITIVE

PARTICIPLE

PRESENT atravessar	1. atravessar	1. atravessarmos
PAST ter atravessado	2. atravessares	2. atravessardes
	3. atravessar	3. atravessarem

PRESENT atravessando	
PAST atravessado	

PRESENT	**IMPERFECT**	**FUTURE**
1. baixo	baixava	baixarei
2. baixas	baixavas	baixarás
3. baixa	baixava	baixará
1. baixamos	baixávamos	baixaremos
2. baixais	baixáveis	baixareis
3. baixam	baixavam	baixarão

PRETERITE	**PERFECT**	**PLUPERFECT**
1. baixei	tenho baixado	baixara
2. baixaste	tens baixado	baixaras
3. baixou	tem baixado	baixara
1. baixámos	temos baixado	baixáramos
2. baixastes	tendes baixado	baixáreis
3. baixaram	têm baixado	baixaram

PLUPERFECT (COMPOUND)	**FUTURE PERFECT**
tinha baixado *etc*	terei baixado *etc*

CONDITIONAL

IMPERATIVE

PRESENT	**PERFECT**	
1. baixaria	teria baixado	
2. baixarias	terias baixado	baixa
3. baixaria	teria baixado	baixe
1. baixaríamos	teríamos baixado	baixemos
2. baixaríeis	teríeis baixado	baixai
3. baixariam	teriam baixado	baixem

SUBJUNCTIVE

PRESENT	**IMPERFECT**	**FUTURE**
1. baixe	baixasse	baixar
2. baixes	baixasses	baixares
3. baixe	baixasse	baixar
1. baixemos	baixássemos	baixarmos
2. baixeis	baixásseis	baixardes
3. baixem	baixassem	baixarem

PERFECT	**PLUPERFECT**	**FUTURE PERFECT**
tenha baixado *etc*	tivesse baixado *etc*	tiver baixado *etc*

INFINITIVE

PERSONAL INFINITIVE

PARTICIPLE

PRESENT baixar	1. baixar	1. baixarmos	**PRESENT** baixando
PAST ter baixado	2. baixares	2. baixardes	**PAST** baixado
	3. baixar	3. baixarem	

BANHAR
38 *to bathe*

PRESENT	IMPERFECT	FUTURE
1. banho	banhava	banharei
2. banhas	banhavas	banharás
3. banha	banhava	banhará
1. banhamos	banhávamos	banharemos
2. banhais	banháveis	banhareis
3. banham	banhavam	banharão

PRETERITE	PERFECT	PLUPERFECT
1. banhei	tenho banhado	banhara
2. banhaste	tens banhado	banharas
3. banhou	tem banhado	banhara
1. banhámos	temos banhado	banháramos
2. banhastes	tendes banhado	banháreis
3. banharam	têm banhado	banharam

PLUPERFECT (COMPOUND)	FUTURE PERFECT
tinha banhado *etc*	terei banhado *etc*

CONDITIONAL

IMPERATIVE

PRESENT	PERFECT	
1. banharia	teria banhado	
2. banharias	terias banhado	banha
3. banharia	teria banhado	banhe
1. banharíamos	teríamos banhado	banhemos
2. banharíeis	teríeis banhado	banhai
3. banhariam	teriam banhado	banhem

SUBJUNCTIVE

PRESENT	IMPERFECT	FUTURE
1. banhe	banhasse	banhar
2. banhes	banhasses	banhares
3. banhe	banhasse	banhar
1. banhemos	banhássemos	banharmos
2. banheis	banhásseis	banhardes
3. banhem	banhassem	banharem

PERFECT	PLUPERFECT	FUTURE PERFECT
tenha banhado *etc*	tivesse banhado *etc*	tiver banhado *etc*

INFINITIVE

PERSONAL INFINITIVE

PARTICIPLE

PRESENT banhar	1. banhar	1. banharmos	PRESENT banhando
PAST ter banhado	2. banhares	2. banhardes	PAST banhado
	3. banhar	3. banharem	

PRESENT	**IMPERFECT**	**FUTURE**
1. barbeio	barbeava	barbearei
2. barbeias	barbeavas	barbearás
3. barbeia	barbeava	barbeará
1. barbeamos	barbeávamos	barbearemos
2. barbeais	barbeáveis	barbeareis
3. barbeiam	barbeavam	barbearão

PRETERITE	**PERFECT**	**PLUPERFECT**
1. barbeei	tenho barbeado	barbeara
2. barbeaste	tens barbeado	barbearas
3. barbeou	tem barbeado	barbeara
1. barbeámos	temos barbeado	barbeáramos
2. barbeastes	tendes barbeado	barbeáreis
3. barbearam	têm barbeado	barbearam

PLUPERFECT (COMPOUND)	**FUTURE PERFECT**
tinha barbeado *etc*	terei barbeado *etc*

CONDITIONAL

IMPERATIVE

PRESENT	**PERFECT**	
1. barbearia	teria barbeado	
2. barbearias	terias barbeado	barbeia
3. barbearia	teria barbeado	barbeie
1. barbearíamos	teríamos barbeado	barbeemos
2. barbearíeis	teríeis barbeado	barbeai
3. barbeariam	teriam barbeado	barbeiem

SUBJUNCTIVE

PRESENT	**IMPERFECT**	**FUTURE**
1. barbeie	barbeasse	barbear
2. barbeies	barbeasses	barbeares
3. barbeie	barbeasse	barbear
1. barbeemos	barbeássemos	barbearmos
2. barbeeis	barbeásseis	barbeardes
3. barbeiem	barbeassem	barbearem

PERFECT	**PLUPERFECT**	**FUTURE PERFECT**
tenha barbeado *etc*	tivesse barbeado *etc*	tiver barbeado *etc*

INFINITIVE

PERSONAL INFINITIVE

PARTICIPLE

PRESENT barbear	1. barbear	1. barbearmos	**PRESENT** barbeando
PAST ter barbeado	2. barbeares	2. barbeardes	**PAST** barbeado
	3. barbear	3. barbearem	

BATER
40 *to knock, to hit, to beat*

PRESENT	IMPERFECT	FUTURE
1. bato	batia	baterei
2. bates	batias	baterás
3. bate	batia	baterá
1. batemos	batíamos	bateremos
2. bateis	batíeis	batereis
3. batem	batiam	baterão

PRETERITE	PERFECT	PLUPERFECT
1. bati	tenho batido	batera
2. bateste	tens batido	bateras
3. bateu	tem batido	batera
1. batemos	temos batido	batêramos
2. batestes	tendes batido	batêreis
3. bateram	têm batido	bateram

PLUPERFECT (COMPOUND)
tinha batido *etc*

FUTURE PERFECT
terei batido *etc*

CONDITIONAL

IMPERATIVE

PRESENT	PERFECT	
1. bateria	teria batido	
2. baterias	terias batido	bate
3. bateria	teria batido	bata
1. bateríamos	teríamos batido	batamos
2. bateríeis	teríeis batido	batei
3. bateriam	teriam batido	batam

SUBJUNCTIVE

PRESENT	IMPERFECT	FUTURE
1. bata	batesse	bater
2. batas	batesses	bateres
3. bata	batesse	bater
1. batamos	batêssemos	batermos
2. batais	batêsseis	baterdes
3. batam	batessem	baterem

PERFECT	PLUPERFECT	FUTURE PERFECT
tenha batido *etc*	tivesse batido *etc*	tiver batido *etc*

INFINITIVE

PERSONAL INFINITIVE

PARTICIPLE

INFINITIVE	PERSONAL INFINITIVE		PARTICIPLE
PRESENT bater	1. bater	1. batermos	**PRESENT** batendo
PAST ter batido	2. bateres	2. baterdes	**PAST** batido
	3. bater	3. baterem	

PRESENT	**IMPERFECT**	**FUTURE**
1. bebo	bebia	beberei
2. bebes	bebias	beberás
3. bebe	bebia	beberá
1. bebemos	bebíamos	beberemos
2. bebeis	bebíeis	bebereis
3. bebem	bebiam	beberão

PRETERITE	**PERFECT**	**PLUPERFECT**
1. bebi	tenho bebido	bebera
2. bebeste	tens bebido	beberas
3. bebeu	tem bebido	bebera
1. bebemos	temos bebido	bebêramos
2. bebestes	tendes bebido	bebêreis
3. beberam	têm bebido	beberam

PLUPERFECT (COMPOUND)	**FUTURE PERFECT**
tinha bebido *etc*	terei bebido *etc*

CONDITIONAL

IMPERATIVE

PRESENT	**PERFECT**	
1. beberia	teria bebido	
2. beberias	terias bebido	bebe
3. beberia	teria bebido	beba
1. beberíamos	teríamos bebido	bebamos
2. beberíeis	teríeis bebido	bebei
3. beberiam	teriam bebido	bebam

SUBJUNCTIVE

PRESENT	**IMPERFECT**	**FUTURE**
1. beba	bebesse	beber
2. bebas	bebesses	beberes
3. beba	bebesse	beber
1. bebamos	bebêssemos	bebermos
2. bebais	bebêsseis	beberdes
3. bebam	bebessem	beberem

PERFECT	**PLUPERFECT**	**FUTURE PERFECT**
tenha bebido *etc*	tivesse bebido *etc*	tiver bebido *etc*

INFINITIVE

PERSONAL INFINITIVE

PARTICIPLE

PRESENT beber	1. beber	1. bebermos	**PRESENT** bebendo
PAST ter bebido	2. beberes	2. beberdes	**PAST** bebido
	3. beber	3. beberem	

PRESENT	**IMPERFECT**	**FUTURE**
1. busco	buscava	buscarei
2. buscas	buscavas	buscarás
3. busca	buscava	buscará
1. buscamos	buscávamos	buscaremos
2. buscais	buscáveis	buscareis
3. buscam	buscavam	buscarão

PRETERITE	**PERFECT**	**PLUPERFECT**
1. busquei	tenho buscado	buscara
2. buscaste	tens buscado	buscaras
3. buscou	tem buscado	buscara
1. buscámos	temos buscado	buscáramos
2. buscastes	tendes buscado	buscáreis
3. buscaram	têm buscado	buscaram

PLUPERFECT (COMPOUND)	**FUTURE PERFECT**
tinha buscado *etc*	terei buscado *etc*

CONDITIONAL

PRESENT	**PERFECT**	**IMPERATIVE**
1. buscaria	teria buscado	
2. buscarias	terias buscado	busca
3. buscaria	teria buscado	busque
1. buscaríamos	teríamos buscado	busquemos
2. buscaríeis	teríeis buscado	buscai
3. buscariam	teriam buscado	busquem

SUBJUNCTIVE

PRESENT	**IMPERFECT**	**FUTURE**
1. busque	buscasse	buscar
2. busques	buscasses	buscares
3. busque	buscasse	buscar
1. busquemos	buscássemos	buscarmos
2. busqueis	buscásseis	buscardes
3. busquem	buscassem	buscarem

PERFECT	**PLUPERFECT**	**FUTURE PERFECT**
tenha buscado *etc*	tivesse buscado *etc*	tiver buscado *etc*

INFINITIVE

PRESENT buscar
PAST ter buscado

PERSONAL INFINITIVE

1. buscar	1. buscarmos
2. buscares	2. buscardes
3. buscar	3. buscarem

PARTICIPLE

PRESENT buscando
PAST buscado

PRESENT
1. caibo
2. cabes
3. cabe
1. cabemos
2. cabeis
3. cabem

IMPERFECT
cabia
cabias
cabia
cabíamos
cabíeis
cabiam

FUTURE
caberei
caberás
caberá
caberemos
cabereis
caberão

PRETERITE
1. coube
2. coubeste
3. coube
1. coubemos
2. coubestes
3. couberam

PERFECT
tenho cabido
tens cabido
tem cabido
temos cabido
tendes cabido
têm cabido

PLUPERFECT
coubera
couberas
coubera
coubéramos
coubéreis
couberam

PLUPERFECT (COMPOUND)
tinha cabido *etc*

FUTURE PERFECT
terei cabido *etc*

CONDITIONAL

PRESENT
1. caberia
2. caberias
3. caberia
1. caberíamos
2. caberíeis
3. caberiam

PERFECT
teria cabido
terias cabido
teria cabido
teríamos cabido
teríeis cabido
teriam cabido

IMPERATIVE

cabe
caiba
caibamos
cabei
caibam

SUBJUNCTIVE

PRESENT
1. caiba
2. caibas
3. caiba
1. caibamos
2. caibais
3. caibam

IMPERFECT
coubesse
coubesses
coubesse
coubéssemos
coubésseis
coubessem

FUTURE
couber
couberes
couber
coubermos
couberdes
couberem

PERFECT
tenha cabido *etc*

PLUPERFECT
tivesse cabido *etc*

FUTURE PERFECT
tiver cabido *etc*

INFINITIVE

PRESENT caber
PAST ter cabido

PERSONAL INFINITIVE

1. caber
2. caberes
3. caber
1. cabermos
2. caberdes
3. caberem

PARTICIPLE

PRESENT cabendo
PAST cabido

PRESENT	IMPERFECT	FUTURE
1. caço	caçava	caçarei
2. caças	caçavas	caçarás
3. caça	caçava	caçará
1. caçamos	caçávamos	caçaremos
2. caçais	caçáveis	caçareis
3. caçam	caçavam	caçarão

PRETERITE	PERFECT	PLUPERFECT
1. cacei	tenho caçado	caçara
2. caçaste	tens caçado	caçaras
3. caçou	tem caçado	caçara
1. caçámos	temos caçado	caçáramos
2. caçastes	tendes caçado	caçáreis
3. caçaram	têm caçado	caçaram

PLUPERFECT (COMPOUND)		FUTURE PERFECT
tinha caçado *etc*		terei caçado *etc*

CONDITIONAL

IMPERATIVE

PRESENT	PERFECT	
1. caçaria	teria caçado	
2. caçarias	terias caçado	caça
3. caçaria	teria caçado	cace
1. caçaríamos	teríamos caçado	cacemos
2. caçaríeis	teríeis caçado	caçai
3. caçariam	teriam caçado	cacem

SUBJUNCTIVE

PRESENT	IMPERFECT	FUTURE
1. cace	caçasse	caçar
2. caces	caçasses	caçares
3. cace	caçasse	caçar
1. cacemos	caçássemos	caçarmos
2. caceis	caçásseis	caçardes
3. cacem	caçassem	caçarem

PERFECT	PLUPERFECT	FUTURE PERFECT
tenha caçado *etc*	tivesse caçado *etc*	tiver caçado *etc*

INFINITIVE

PERSONAL INFINITIVE

PARTICIPLE

INFINITIVE	PERSONAL INFINITIVE		PARTICIPLE
PRESENT caçar	1. caçar	1. caçarmos	**PRESENT** caçando
PAST ter caçado	2. caçares	2. caçardes	**PAST** caçado
	3. caçar	3. caçarem	

PRESENT	**IMPERFECT**	**FUTURE**
1. caio	caía	cairei
2. cais	caías	cairás
3. cai	caía	cairá
1. caímos	caíamos	cairemos
2. caís	caíeis	caireis
3. caem	caíam	cairão

PRETERITE	**PERFECT**	**PLUPERFECT**
1. caí	tenho caído	caíra
2. caíste	tens caído	caíras
3. caiu	tem caído	caíra
1. caímos	temos caído	caíramos
2. caístes	tendes caído	caíreis
3. caíram	têm caído	caíram

PLUPERFECT (COMPOUND)
tinha caído *etc*

FUTURE PERFECT
terei caído *etc*

CONDITIONAL

		IMPERATIVE
PRESENT	**PERFECT**	
1. cairia	teria caído	
2. cairias	terias caído	cai
3. cairia	teria caído	caia
1. cairíamos	teríamos caído	caiamos
2. cairíeis	teríeis caído	caí
3. cairiam	teriam caído	caiam

SUBJUNCTIVE

PRESENT	**IMPERFECT**	**FUTURE**
1. caia	caísse	cair
2. caias	caísses	caíres
3. caia	caísse	cair
1. caiamos	caíssemos	cairmos
2. caiais	caísseis	cairdes
3. caiam	caíssem	caírem

PERFECT	**PLUPERFECT**	**FUTURE PERFECT**
tenha caído *etc*	tivesse caído *etc*	tiver caído *etc*

INFINITIVE

PRESENT cair
PAST ter caído

PERSONAL INFINITIVE

1. cair	1. caírmos
2. caíres	2. caírdes
3. cair	3. caírem

PARTICIPLE

PRESENT caindo
PAST caído

PRESENT	IMPERFECT	FUTURE
1. caminho	caminhava	caminharei
2. caminhas	caminhavas	caminharás
3. caminha	caminhava	caminhará
1. caminhamos	caminhávamos	caminharemos
2. caminhais	caminháveis	caminhareis
3. caminham	caminhavam	caminharão

PRETERITE	PERFECT	PLUPERFECT
1. caminhei	tenho caminhado	caminhara
2. caminhaste	tens caminhado	caminharas
3. caminhou	tem caminhado	caminhara
1. caminhámos	temos caminhado	caminháramos
2. caminhastes	tendes caminhado	caminháreis
3. caminharam	têm caminhado	caminharam

PLUPERFECT (COMPOUND)	FUTURE PERFECT
tinha caminhado *etc*	terei caminhado *etc*

CONDITIONAL

IMPERATIVE

PRESENT	PERFECT	
1. caminharia	teria caminhado	
2. caminharias	terias caminhado	caminha
3. caminharia	teria caminhado	caminhe
1. caminharíamos	teríamos caminhado	caminhemos
2. caminharíeis	teríeis caminhado	caminhai
3. caminhariam	teriam caminhado	caminhem

SUBJUNCTIVE

PRESENT	IMPERFECT	FUTURE
1. caminhe	caminhasse	caminhar
2. caminhes	caminhasses	caminhares
3. caminhe	caminhasse	caminhar
1. caminhemos	caminhássemos	caminharmos
2. caminheis	caminhásseis	caminhardes
3. caminhem	caminhassem	caminharem

PERFECT	PLUPERFECT	FUTURE PERFECT
tenha caminhado *etc*	tivesse caminhado *etc*	tiver caminhado *etc*

INFINITIVE

PERSONAL INFINITIVE

PARTICIPLE

PRESENT caminhar	1. caminhar	1. caminharmos	PRESENT caminhando
PAST ter caminhado	2. caminhares	2. caminhardes	PAST caminhado
	3. caminhar	3. caminharem	

PRESENT
1. canso
2. cansas
3. cansa
1. cansamos
2. cansais
3. cansam

IMPERFECT
cansava
cansavas
cansava
cansávamos
cansáveis
cansavam

FUTURE
cansarei
cansarás
cansará
cansaremos
cansareis
cansarão

PRETERITE
1. cansei
2. cansaste
3. cansou
1. cansámos
2. cansastes
3. cansaram

PERFECT
tenho cansado
tens cansado
tem cansado
temos cansado
tendes cansado
têm cansado

PLUPERFECT
cansara
cansaras
cansara
cansáramos
cansáreis
cansaram

PLUPERFECT (COMPOUND)
tinha cansado *etc*

FUTURE PERFECT
terei cansado *etc*

CONDITIONAL

PRESENT
1. cansaria
2. cansarias
3. cansaria
1. cansaríamos
2. cansaríeis
3. cansariam

PERFECT
teria cansado
terias cansado
teria cansado
teríamos cansado
teríeis cansado
teriam cansado

IMPERATIVE

cansa
canse
cansemos
cansai
cansem

SUBJUNCTIVE

PRESENT
1. canse
2. canses
3. canse
1. cansemos
2. canseis
3. cansem

IMPERFECT
cansasse
cansasses
cansasse
cansássemos
cansásseis
cansassem

FUTURE
cansar
cansares
cansar
cansarmos
cansardes
cansarem

PERFECT
tenha cansado *etc*

PLUPERFECT
tivesse cansado *etc*

FUTURE PERFECT
tiver cansado *etc*

INFINITIVE

PRESENT cansar
PAST ter cansado

PERSONAL INFINITIVE

1. cansar
2. cansares
3. cansar
1. cansarmos
2. cansardes
3. cansarem

PARTICIPLE

PRESENT cansando
PAST cansado

CARREGAR

48 *to carry; to load*

PRESENT	IMPERFECT	FUTURE
1. carrego	carregava	carregarei
2. carregas	carregavas	carregarás
3. carrega	carregava	carregará
1. carregamos	carregávamos	carregaremos
2. carregais	carregáveis	carregareis
3. carregam	carregavam	carregarão

PRETERITE	PERFECT	PLUPERFECT
1. carreguei	tenho carregado	carregara
2. carregaste	tens carregado	carregaras
3. carregou	tem carregado	carregara
1. carregámos	temos carregado	carregáramos
2. carregastes	tendes carregado	carregáreis
3. carregaram	têm carregado	carregaram

PLUPERFECT (COMPOUND)		FUTURE PERFECT
tinha carregado *etc*		terei carregado *etc*

CONDITIONAL

IMPERATIVE

PRESENT	PERFECT	
1. carregaria	teria carregado	
2. carregarias	terias carregado	
3. carregaria	teria carregado	carrega
1. carregaríamos	teríamos carregado	carregue
2. carregaríeis	teríeis carregado	carreguemos
3. carregariam	teriam carregado	carregai
		carreguem

SUBJUNCTIVE

PRESENT	IMPERFECT	FUTURE
1. carregue	carregasse	carregar
2. carregues	carregasses	carregares
3. carregue	carregasse	carregar
1. carreguemos	carregássemos	carregarmos
2. carregueis	carregásseis	carregardes
3. carreguem	carregassem	carregarem

PERFECT	PLUPERFECT	FUTURE PERFECT
tenha carregado *etc*	tivesse carregado *etc*	tiver carregado *etc*

INFINITIVE

PERSONAL INFINITIVE

PARTICIPLE

INFINITIVE	PERSONAL INFINITIVE		PARTICIPLE
PRESENT carregar	1. carregar	1. carregarmos	**PRESENT** carregando
PAST ter carregado	2. carregares	2. carregardes	**PAST** carregado
	3. carregar	3. carregarem	

PRESENT	**IMPERFECT**	**FUTURE**
1. cego	cegava	cegarei
2. cegas	cegavas	cegarás
3. cega	cegava	cegará
1. cegamos	cegávamos	cegaremos
2. cegais	cegáveis	cegareis
3. cegam	cegavam	cegarão

PRETERITE	**PERFECT**	**PLUPERFECT**
1. ceguei	tenho cegado	cegara
2. cegaste	tens cegado	cegaras
3. cegou	tem cegado	cegara
1. cegámos	temos cegado	cegáramos
2. cegastes	tendes cegado	cegáreis
3. cegaram	têm cegado	cegaram

PLUPERFECT (COMPOUND)
tinha cegado *etc*

FUTURE PERFECT
terei cegado *etc*

CONDITIONAL

IMPERATIVE

PRESENT	**PERFECT**	
1. cegaria	teria cegado	
2. cegarias	terias cegado	cega
3. cegaria	teria cegado	cegue
1. cegaríamos	teríamos cegado	ceguemos
2. cegaríeis	teríeis cegado	cegai
3. cegariam	teriam cegado	ceguem

SUBJUNCTIVE

PRESENT	**IMPERFECT**	**FUTURE**
1. cegue	cegasse	cegar
2. cegues	cegasses	cegares
3. cegue	cegasse	cegar
1. ceguemos	cegássemos	cegarmos
2. cegueis	cegásseis	cegardes
3. ceguem	cegassem	cegarem

PERFECT	**PLUPERFECT**	**FUTURE PERFECT**
tenha cegado *etc*	tivesse cegado *etc*	tiver cegado *etc*

INFINITIVE

PERSONAL INFINITIVE

PARTICIPLE

PRESENT cegar	1. cegar	1. cegarmos	**PRESENT** cegando
PAST ter cegado	2. cegares	2. cegardes	**PAST** cegado
	3. cegar	3. cegarem	

CHAMAR
50   *to call, to name*

PRESENT	IMPERFECT	FUTURE
1. chamo	chamava	chamarei
2. chamas	chamavas	chamarás
3. chama	chamava	chamará
1. chamamos	chamávamos	chamaremos
2. chamais	chamáveis	chamareis
3. chamam	chamavam	chamarão

PRETERITE	PERFECT	PLUPERFECT
1. chamei	tenho chamado	chamara
2. chamaste	tens chamado	chamaras
3. chamou	tem chamado	chamara
1. chamámos	temos chamado	chamáramos
2. chamastes	tendes chamado	chamáreis
3. chamaram	têm chamado	chamaram

PLUPERFECT (COMPOUND)	FUTURE PERFECT
tinha chamado *etc*	terei chamado *etc*

CONDITIONAL

PRESENT	PERFECT
1. chamaria	teria chamado
2. chamarias	terias chamado
3. chamaria	teria chamado
1. chamaríamos	teríamos chamado
2. chamaríeis	teríeis chamado
3. chamariam	teriam chamado

IMPERATIVE

chama
chame
chamemos
chamai
chamem

SUBJUNCTIVE

PRESENT	IMPERFECT	FUTURE
1. chame	chamasse	chamar
2. chames	chamasses	chamares
3. chame	chamasse	chamar
1. chamemos	chamássemos	chamarmos
2. chameis	chamásseis	chamardes
3. chamem	chamassem	chamarem

PERFECT	PLUPERFECT	FUTURE PERFECT
tenha chamado *etc*	tivesse chamado *etc*	tiver chamado *etc*

INFINITIVE

PRESENT chamar
PAST ter chamado

PERSONAL INFINITIVE

1. chamar	1. chamarmos
2. chamares	2. chamardes
3. chamar	3. chamarem

PARTICIPLE

PRESENT chamando
PAST chamado

PRESENT	**IMPERFECT**	**FUTURE**
1. chego	chegava	chegarei
2. chegas	chegavas	chegarás
3. chega	chegava	chegará
1. chegamos	chegávamos	chegaremos
2. chegais	chegáveis	chegareis
3. chegam	chegavam	chegarão

PRETERITE	**PERFECT**	**PLUPERFECT**
1. cheguei	tenho chegado	chegara
2. chegaste	tens chegado	chegaras
3. chegou	tem chegado	chegara
1. chegámos	temos chegado	chegáramos
2. chegastes	tendes chegado	chegáreis
3. chegaram	têm chegado	chegaram

PLUPERFECT (COMPOUND)	**FUTURE PERFECT**
tinha chegado *etc*	terei chegado *etc*

CONDITIONAL

IMPERATIVE

PRESENT	**PERFECT**	
1. chegaria	teria chegado	
2. chegarias	terias chegado	
3. chegaria	teria chegado	chega
1. chegaríamos	teríamos chegado	chegue
2. chegaríeis	teríeis chegado	cheguemos
3. chegariam	teriam chegado	chegai
		cheguem

SUBJUNCTIVE

PRESENT	**IMPERFECT**	**FUTURE**
1. chegue	chegasse	chegar
2. chegues	chegasses	chegares
3. chegue	chegasse	chegar
1. cheguemos	chegássemos	chegarmos
2. chegueis	chegásseis	chegardes
3. cheguem	chegassem	chegarem

PERFECT	**PLUPERFECT**	**FUTURE PERFECT**
tenha chegado *etc*	tivesse chegado *etc*	tiver chegado *etc*

INFINITIVE

PERSONAL INFINITIVE

PARTICIPLE

PRESENT chegar	1. chegar	1. chegarmos	**PRESENT** chegando
PAST ter chegado	2. chegares	2. chegardes	**PAST** chegado
	3. chegar	3. chegarem	

CHEIRAR
52 *to smell*

PRESENT	IMPERFECT	FUTURE
1. cheiro	cheirava	cheirarei
2. cheiras	cheiravas	cheirarás
3. cheira	cheirava	cheirará
1. cheiramos	cheirávamos	cheiraremos
2. cheirais	cheiráveis	cheirareis
3. cheiram	cheiravam	cheirarão

PRETERITE	PERFECT	PLUPERFECT
1. cheirei	tenho cheirado	cheirara
2. cheiraste	tens cheirado	cheiraras
3. cheirou	tem cheirado	cheirara
1. cheirámos	temos cheirado	cheiráramos
2. cheirastes	tendes cheirado	cheiráreis
3. cheiraram	têm cheirado	cheiraram

PLUPERFECT (COMPOUND)	FUTURE PERFECT
tinha cheirado *etc*	terei cheirado *etc*

CONDITIONAL

IMPERATIVE

PRESENT	PERFECT	
1. cheiraria	teria cheirado	
2. cheirarias	terias cheirado	cheira
3. cheiraria	teria cheirado	cheire
1. cheiraríamos	teríamos cheirado	cheiremos
2. cheiraríeis	teríeis cheirado	cheirai
3. cheirariam	teriam cheirado	cheirem

SUBJUNCTIVE

PRESENT	IMPERFECT	FUTURE
1. cheire	cheirasse	cheirar
2. cheires	cheirasses	cheirares
3. cheire	cheirasse	cheirar
1. cheiremos	cheirássemos	cheirarmos
2. cheireis	cheirásseis	cheirardes
3. cheirem	cheirassem	cheirarem

PERFECT	PLUPERFECT	FUTURE PERFECT
tenha cheirado *etc*	tivesse cheirado *etc*	tiver cheirado *etc*

INFINITIVE

PERSONAL INFINITIVE

PARTICIPLE

INFINITIVE	PERSONAL INFINITIVE		PARTICIPLE
PRESENT cheirar	1. cheirar	1. cheirarmos	PRESENT cheirando
PAST ter cheirado	2. cheirares	2. cheirardes	PAST cheirado
	3. cheirar	3. cheirarem	

PRESENT	IMPERFECT	FUTURE
1.		
2.		
3. chove	chovia	choverá
1.		
2.		
3.		

PRETERITE	PERFECT	PLUPERFECT
1.		
2.		
3. choveu	tem chovido	chovera
1.		
2.		
3.		

PLUPERFECT (COMPOUND)		FUTURE PERFECT
tinha chovido		terá chovido

CONDITIONAL | | *IMPERATIVE*

PRESENT	PERFECT	
1.		
2.		
3. choveria	teria chovido	chova
1.		
2.		
3.		

SUBJUNCTIVE

PRESENT	IMPERFECT	FUTURE
1.		
2.		
3. chova	chovesse	chover
1.		
2.		
3.		

PERFECT	PLUPERFECT	FUTURE PERFECT
tenha chovido	tivesse chovido	tiver chovido

INFINITIVE | *PERSONAL INFINITIVE* | *PARTICIPLE*

PRESENT chover		**PRESENT** chovendo
PAST ter chovido		**PAST** chovido
	3. chover	

PRESENT	**IMPERFECT**	**FUTURE**
1. cobro	cobrava	cobrarei
2. cobras	cobravas	cobrarás
3. cobra	cobrava	cobrará
1. cobramos	cobrávamos	cobraremos
2. cobrais	cobráveis	cobrareis
3. cobram	cobravam	cobrarão

PRETERITE	**PERFECT**	**PLUPERFECT**
1. cobrei	tenho cobrado	cobrara
2. cobraste	tens cobrado	cobraras
3. cobrou	tem cobrado	cobrara
1. cobrámos	temos cobrado	cobráramos
2. cobrastes	tendes cobrado	cobráreis
3. cobraram	têm cobrado	cobraram

PLUPERFECT (COMPOUND)		**FUTURE PERFECT**
tinha cobrado _etc_		terei cobrado _etc_

CONDITIONAL

IMPERATIVE

PRESENT	**PERFECT**	
1. cobraria	teria cobrado	
2. cobrarias	terias cobrado	
3. cobraria	teria cobrado	cobra
1. cobraríamos	teríamos cobrado	cobre
2. cobraríeis	teríeis cobrado	cobremos
3. cobrariam	teriam cobrado	cobrai
		cobrem

SUBJUNCTIVE

PRESENT	**IMPERFECT**	**FUTURE**
1. cobre	cobrasse	cobrar
2. cobres	cobrasses	cobrares
3. cobre	cobrasse	cobrar
1. cobremos	cobrássemos	cobrarmos
2. cobreis	cobrásseis	cobrardes
3. cobrem	cobrassem	cobrarem

PERFECT	**PLUPERFECT**	**FUTURE PERFECT**
tenha cobrado _etc_	tivesse cobrado _etc_	tiver cobrado _etc_

INFINITIVE

PERSONAL INFINITIVE

PARTICIPLE

PRESENT cobrar	1. cobrar	1. cobrarmos	**PRESENT** cobrando
PAST ter cobrado	2. cobrares	2. cobrardes	**PAST** cobrado
	3. cobrar	3. cobrarem	

PRESENT	IMPERFECT	FUTURE
1. cubro	cobria	cobrirei
2. cobres	cobrias	cobrirás
3. cobre	cobria	cobrirá
1. cobrimos	cobríamos	cobriremos
2. cobris	cobríeis	cobrireis
3. cobrem	cobriam	cobrirão

PRETERITE	PERFECT	PLUPERFECT
1. cobri	tenho coberto	cobrira
2. cobriste	tens coberto	cobriras
3. cobriu	tem coberto	cobrira
1. cobrimos	temos coberto	cobríramos
2. cobristes	tendes coberto	cobríreis
3. cobriram	têm coberto	cobriram

PLUPERFECT (COMPOUND)
tinha coberto *etc*

FUTURE PERFECT
terei coberto *etc*

CONDITIONAL

IMPERATIVE

PRESENT	PERFECT	
1. cobriria	teria coberto	
2. cobririas	terias coberto	cobre
3. cobriria	teria coberto	cubra
1. cobriríamos	teríamos coberto	cubramos
2. cobriríeis	teríeis coberto	cobri
3. cobririam	teriam coberto	cubram

SUBJUNCTIVE

PRESENT	IMPERFECT	FUTURE
1. cubra	cobrisse	cobrir
2. cubras	cobrisses	cobrires
3. cubra	cobrisse	cobrir
1. cubramos	cobríssemos	cobrirmos
2. cubrais	cobrísseis	cobrirdes
3. cubram	cobrissem	cobrirem

PERFECT	PLUPERFECT	FUTURE PERFECT
tenha coberto *etc*	tivesse coberto *etc*	tiver coberto *etc*

INFINITIVE

PERSONAL INFINITIVE

PARTICIPLE

PRESENT cobrir
PAST ter coberto

1. cobrir	1. cobrirmos
2. cobrires	2. cobrirdes
3. cobrir	3. cobrirem

PRESENT cobrindo
PAST coberto

COCAR
56 *to scratch*

PRESENT	IMPERFECT	FUTURE
1. coço	coçava	coçarei
2. coças	coçavas	coçarás
3. coça	coçava	coçará
1. coçamos	coçávamos	coçaremos
2. coçais	coçáveis	coçareis
3. coçam	coçavam	coçarão

PRETERITE	PERFECT	PLUPERFECT
1. cocei	tenho coçado	coçara
2. coçaste	tens coçado	coçaras
3. coçou	tem coçado	coçara
1. coçámos	temos coçado	coçáramos
2. coçastes	tendes coçado	coçáreis
3. coçaram	têm coçado	coçaram

PLUPERFECT (COMPOUND)	FUTURE PERFECT
tinha coçado *etc*	terei coçado *etc*

CONDITIONAL

PRESENT	PERFECT
1. coçaria	teria coçado
2. coçarias	terias coçado
3. coçaria	teria coçado
1. coçaríamos	teríamos coçado
2. coçaríeis	teríeis coçado
3. coçariam	teriam coçado

IMPERATIVE

coça
coce
cocemos
coçai
cocem

SUBJUNCTIVE

PRESENT	IMPERFECT	FUTURE
1. coce	coçasse	coçar
2. coces	coçasses	coçares
3. coce	coçasse	coçar
1. cocemos	coçássemos	coçarmos
2. coceis	coçásseis	coçardes
3. cocem	coçassem	coçarem

PERFECT	PLUPERFECT	FUTURE PERFECT
tenha coçado *etc*	tivesse coçado *etc*	tiver coçado *etc*

INFINITIVE

PRESENT coçar
PAST ter coçado

PERSONAL INFINITIVE

1. coçar	1. coçarmos
2. coçares	2. coçardes
3. coçar	3. coçarem

PARTICIPLE

PRESENT coçando
PAST coçado

PRESENT	**IMPERFECT**	**FUTURE**
1. começo	começava	começarei
2. começas	começavas	começarás
3. começa	começava	começará
1. começamos	começávamos	começaremos
2. começais	começáveis	começareis
3. começam	começavam	começarão

PRETERITE	**PERFECT**	**PLUPERFECT**
1. comecei	tenho começado	começara
2. começaste	tens começado	começaras
3. começou	tem começado	começara
1. começámos	temos começado	começáramos
2. começastes	tendes começado	começáreis
3. começaram	têm começado	começaram

PLUPERFECT (COMPOUND)	**FUTURE PERFECT**
tinha começado *etc*	terei começado *etc*

CONDITIONAL

IMPERATIVE

PRESENT	**PERFECT**	
1. começaria	teria começado	
2. começarias	terias começado	começa
3. começaria	teria começado	comece
1. começaríamos	teríamos começado	comecemos
2. começaríeis	teríeis começado	começai
3. começariam	teriam começado	comecem

SUBJUNCTIVE

PRESENT	**IMPERFECT**	**FUTURE**
1. comece	começasse	começar
2. comeces	começasses	começares
3. comece	começasse	começar
1. comecemos	começássemos	começarmos
2. comeceis	começásseis	começardes
3. comecem	começassem	começarem

PERFECT	**PLUPERFECT**	**FUTURE PERFECT**
tenha começado *etc*	tivesse começado *etc*	tiver começado *etc*

INFINITIVE

PERSONAL INFINITIVE

PARTICIPLE

PRESENT começar	1. começar	1. começarmos	**PRESENT** começando
PAST ter começado	2. começares	2. começardes	**PAST** começado
	3. começar	3. começarem	

PRESENT	IMPERFECT	FUTURE
1. como	comia	comerei
2. comes	comias	comerás
3. come	comia	comerá
1. comemos	comíamos	comeremos
2. comeis	comíeis	comereis
3. comem	comiam	comerão

PRETERITE	PERFECT	PLUPERFECT
1. comi	tenho comido	comera
2. comeste	tens comido	comeras
3. comeu	tem comido	comera
1. comemos	temos comido	comêramos
2. comestes	tendes comido	comêreis
3. comeram	têm comido	comeram

PLUPERFECT (COMPOUND)	FUTURE PERFECT
tinha comido *etc*	terei comido *etc*

CONDITIONAL

IMPERATIVE

PRESENT	PERFECT	
1. comeria	teria comido	
2. comerias	terias comido	
3. comeria	teria comido	come
1. comeríamos	teríamos comido	coma
2. comeríeis	teríeis comido	comamos
3. comeriam	teriam comido	comei
		comam

SUBJUNCTIVE

PRESENT	IMPERFECT	FUTURE
1. coma	comesse	comer
2. comas	comesses	comeres
3. coma	comesse	comer
1. comamos	comêssemos	comermos
2. comais	comêsseis	comerdes
3. comam	comessem	comerem

PERFECT	PLUPERFECT	FUTURE PERFECT
tenha comido *etc*	tivesse comido *etc*	tiver comido *etc*

INFINITIVE

PERSONAL INFINITIVE

PARTICIPLE

PRESENT comer	1. comer	1. comermos	PRESENT comendo
PAST ter comido	2. comeres	2. comerdes	PAST comido
	3. comer	3. comerem	

PRESENT
1. compro
2. compras
3. compra
1. compramos
2. comprais
3. compram

IMPERFECT
comprava
compravas
comprava
comprávamos
compráveis
compravam

FUTURE
comprarei
comprarás
comprará
compraremos
comprareis
comprarão

PRETERITE
1. comprei
2. compraste
3. comprou
1. comprámos
2. comprastes
3. compraram

PERFECT
tenho comprado
tens comprado
tem comprado
temos comprado
tendes comprado
têm comprado

PLUPERFECT
comprara
compraras
comprara
compráramos
compráreis
compraram

PLUPERFECT (COMPOUND)
tinha comprado *etc*

FUTURE PERFECT
terei comprado *etc*

CONDITIONAL

PRESENT
1. compraria
2. comprarias
3. compraria
1. compraríamos
2. compraríeis
3. comprariam

PERFECT
teria comprado
terias comprado
teria comprado
teríamos comprado
teríeis comprado
teriam comprado

IMPERATIVE

compra
compre
compremos
comprai
comprem

SUBJUNCTIVE

PRESENT
1. compre
2. compres
3. compre
1. compremos
2. compreis
3. comprem

IMPERFECT
comprasse
comprasses
comprasse
comprássemos
comprásseis
comprassem

FUTURE
comprar
comprares
comprar
comprarmos
comprardes
comprarem

PERFECT
tenha comprado *etc*

PLUPERFECT
tivesse comprado *etc*

FUTURE PERFECT
tiver comprado *etc*

INFINITIVE

PRESENT comprar
PAST ter comprado

PERSONAL INFINITIVE

1. comprar
2. comprares
3. comprar

1. comprarmos
2. comprardes
3. comprarem

PARTICIPLE

PRESENT comprando
PAST comprado

COMPREENDER
60 *to understand*

PRESENT	IMPERFECT	FUTURE
1. compreendo	compreendia	compreenderei
2. compreendes	compreendias	compreenderás
3. compreende	compreendia	compreenderá
1. compreendemos	compreendíamos	compreenderemos
2. compreendeis	compreendíeis	compreendereis
3. compreendem	compreendiam	compreenderão

PRETERITE	PERFECT	PLUPERFECT
1. compreendi	tenho compreendido	compreendera
2. compreendeste	tens compreendido	compreenderas
3. compreendeu	tem compreendido	compreendera
1. compreendemos	temos compreendido	compreendêramos
2. compreendestes	tendes compreendido	compreendêreis
3. compreenderam	têm compreendido	compreenderam

PLUPERFECT (COMPOUND)	FUTURE PERFECT
tinha compreendido *etc*	terei compreendido *etc*

CONDITIONAL

IMPERATIVE

PRESENT	PERFECT	
1. compreenderia	teria compreendido	
2. compreenderias	terias compreendido	compreende
3. compreenderia	teria compreendido	compreenda
1. compreenderíamos	teríamos compreendido	compreendamos
2. compreenderíeis	teríeis compreendido	compreendei
3. compreenderiam	teriam compreendido	compreendam

SUBJUNCTIVE

PRESENT	IMPERFECT	FUTURE
1. compreenda	compreendesse	compreender
2. compreendas	compreendesses	compreenderes
3. compreenda	compreendesse	compreender
1. compreendamos	compreendêssemos	compreendermos
2. compreendais	compreendêsseis	compreenderdes
3. compreendam	compreendessem	compreenderem

PERFECT	PLUPERFECT	FUTURE PERFECT
tenha compreendido *etc*	tivesse compreendido *etc*	tiver compreendido *etc*

INFINITIVE

PERSONAL INFINITIVE

PARTICIPLE

PRESENT compreender	1. compreender	1. compreendermos
PAST ter compreendido	2. compreenderes	2. compreenderdes
	3. compreender	3. compreenderem

PRESENT compreendendo
PAST compreendido

PRESENT	**IMPERFECT**	**FUTURE**
1. computo	computava	computarei
2. computas	computavas	computarás
3. computa	computava	computará
1. computamos	computávamos	computaremos
2. computais	computáveis	computareis
3. computam	computavam	computarão

PRETERITE	**PERFECT**	**PLUPERFECT**
1. computei	tenho computado	computara
2. computaste	tens computado	computaras
3. computou	tem computado	computara
1. computámos	temos computado	computáramos
2. computastes	tendes computado	computáreis
3. computaram	têm computado	computaram

PLUPERFECT (COMPOUND)	**FUTURE PERFECT**
tinha computado *etc*	terei computado *etc*

CONDITIONAL

IMPERATIVE

PRESENT	**PERFECT**	
1. computaria	teria computado	
2. computarias	terias computado	
3. computaria	teria computado	computa
1. computaríamos	teríamos computado	compute
2. computaríeis	teríeis computado	computemos
3. computariam	teriam computado	computai
		computem

SUBJUNCTIVE

PRESENT	**IMPERFECT**	**FUTURE**
1. compute	computasse	computar
2. computes	computasses	computares
3. compute	computasse	computar
1. computemos	computássemos	computarmos
2. computeis	computásseis	computardes
3. computem	computassem	computarem

PERFECT	**PLUPERFECT**	**FUTURE PERFECT**
tenha computado *etc*	tivesse computado *etc*	tiver computado *etc*

INFINITIVE

PERSONAL INFINITIVE

PARTICIPLE

PRESENT computar	1. computar	1. computarmos	**PRESENT** computando
PAST ter computado	2. computares	2. computardes	**PAST** computado
	3. computar	3. computarem	

CONDUZIR
62 to drive; to conduct

PRESENT	IMPERFECT	FUTURE
1. conduzo	conduzia	conduzirei
2. conduzes	conduzias	conduzirás
3. conduz	conduzia	conduzirá
1. conduzimos	conduzíamos	conduziremos
2. conduzis	conduzíeis	conduzireis
3. conduzem	conduziam	conduzirão

PRETERITE	PERFECT	PLUPERFECT
1. conduzi	tenho conduzido	conduzira
2. conduziste	tens conduzido	conduziras
3. conduziu	tem conduzido	conduzira
1. conduzimos	temos conduzido	conduzíramos
2. conduzistes	tendes conduzido	conduzíreis
3. conduziram	têm conduzido	conduziram

PLUPERFECT (COMPOUND)
tinha conduzido *etc*

FUTURE PERFECT
terei conduzido *etc*

CONDITIONAL

IMPERATIVE

PRESENT	PERFECT	
1. conduziria	teria conduzido	
2. conduzirias	terias conduzido	
3. conduziria	teria conduzido	conduz
1. conduziríamos	teríamos conduzido	conduza
2. conduziríeis	teríeis conduzido	conduzamos
3. conduziriam	teriam conduzido	conduzi
		conduzam

SUBJUNCTIVE

PRESENT	IMPERFECT	FUTURE
1. conduza	conduzisse	conduzir
2. conduzas	conduzisses	conduzires
3. conduza	conduzisse	conduzir
1. conduzamos	conduzíssemos	conduzirmos
2. conduzais	conduzísseis	conduzirdes
3. conduzam	conduzissem	conduzirem

PERFECT	PLUPERFECT	FUTURE PERFECT
tenha conduzido *etc*	tivesse conduzido *etc*	tiver conduzido *etc*

INFINITIVE

PRESENT conduzir
PAST ter conduzido

PERSONAL INFINITIVE

1. conduzir	1. conduzirmos
2. conduzires	2. conduzirdes
3. conduzir	3. conduzirem

PARTICIPLE

PRESENT conduzindo
PAST conduzido

PRESENT	IMPERFECT	FUTURE
1. conheço	conhecia	conhecerei
2. conheces	conhecias	conhecerás
3. conhece	conhecia	conhecerá
1. conhecemos	conhecíamos	conheceremos
2. conheceis	conhecíeis	conhecereis
3. conhecem	conheciam	conhecerão

PRETERITE	PERFECT	PLUPERFECT
1. conheci	tenho conhecido	conhecera
2. conheceste	tens conhecido	conheceras
3. conheceu	tem conhecido	conhecera
1. conhecemos	temos conhecido	conhecêramos
2. conhecestes	tendes conhecido	conhecêreis
3. conheceram	têm conhecido	conheceram

PLUPERFECT (COMPOUND)	FUTURE PERFECT
tinha conhecido *etc*	terei conhecido *etc*

CONDITIONAL

PRESENT	PERFECT
1. conheceria	teria conhecido
2. conhecerias	terias conhecido
3. conheceria	teria conhecido
1. conheceríamos	teríamos conhecido
2. conheceríeis	teríeis conhecido
3. conheceriam	teriam conhecido

IMPERATIVE

conhece
conheça
conheçamos
conhecei
conheçam

SUBJUNCTIVE

PRESENT	IMPERFECT	FUTURE
1. conheça	conhecesse	conhecer
2. conheças	conhecesses	conheceres
3. conheça	conhecesse	conhecer
1. conheçamos	conhecêssemos	conhecermos
2. conheçais	conhecêsseis	conhecerdes
3. conheçam	conhecessem	conhecerem

PERFECT	PLUPERFECT	FUTURE PERFECT
tenha conhecido *etc*	tivesse conhecido *etc*	tiver conhecido *etc*

INFINITIVE

PRESENT conhecer
PAST ter conhecido

PERSONAL INFINITIVE

1. conhecer	1. conhecermos
2. conheceres	2. conhecerdes
3. conhecer	3. conhecerem

PARTICIPLE

PRESENT conhecendo
PAST conhecido

CONSTRUIR
64 *to build, to construct*

PRESENT	IMPERFECT	FUTURE
1. construo	construía	construirei
2. construis/constróis	construías	construirás
3. constrói/constrói	construía	construirá
1. construímos	construíamos	construiremos
2. construís	construíeis	construireis
3. construem/constroem	construíam	construirão

PRETERITE	PERFECT	PLUPERFECT
1. construí	tenho construído	construíra
2. construíste	tens construído	construíras
3. construiu	tem construído	construíra
1. construímos	temos construído	construíramos
2. construístes	tendes construído	construíreis
3. construíram	têm construído	construíram

PLUPERFECT (COMPOUND)		FUTURE PERFECT
tinha construído *etc*		terei construído *etc*

CONDITIONAL

PRESENT	PERFECT
1. construiria	teria construído
2. construirias	terias construído
3. construiria	teria construído
1. construiríamos	teríamos construído
2. construiríeis	teríeis construído
3. construiriam	teriam construído

IMPERATIVE

construi/constrói
construa
construamos
construí
construam

SUBJUNCTIVE

PRESENT	IMPERFECT	FUTURE
1. construa	construísse	construir
2. construas	construísses	construíres
3. construa	construísse	construir
1. construamos	construíssemos	construirmos
2. construais	construísseis	construirdes
3. construam	construíssem	construírem

PERFECT	PLUPERFECT	FUTURE PERFECT
tenha construído *etc*	tivesse construído *etc*	tiver construído *etc*

INFINITIVE	PERSONAL INFINITIVE		PARTICIPLE
PRESENT construir	1. construir	1. construirmos	**PRESENT** construindo
PAST ter construído	2. construíres	2. construirdes	**PAST** construído
	3. construir	3. construírem	

PRESENT	**IMPERFECT**	**FUTURE**
1. consulto	consultava	consultarei
2. consultas	consultavas	consultarás
3. consulta	consultava	consultará
1. consultamos	consultávamos	consultaremos
2. consultais	consultáveis	consultareis
3. consultam	consultavam	consultarão

PRETERITE	**PERFECT**	**PLUPERFECT**
1. consultei	tenho consultado	consultara
2. consultaste	tens consultado	consultaras
3. consultou	tem consultado	consultara
1. consultámos	temos consultado	consultáramos
2. consultastes	tendes consultado	consultáreis
3. consultaram	têm consultado	consultaram

PLUPERFECT (COMPOUND)
tinha consultado *etc*

FUTURE PERFECT
terei consultado *etc*

CONDITIONAL

IMPERATIVE

PRESENT	**PERFECT**	
1. consultaria	teria consultado	
2. consultarias	terias consultado	consulta
3. consultaria	teria consultado	consulte
1. consultaríamos	teríamos consultado	consultemos
2. consultaríeis	teríeis consultado	consultai
3. consultariam	teriam consultado	consultem

SUBJUNCTIVE

PRESENT	**IMPERFECT**	**FUTURE**
1. consulte	consultasse	consultar
2. consultes	consultasses	consultares
3. consulte	consultasse	consultar
1. consultemos	consultássemos	consultarmos
2. consulteis	consultásseis	consultardes
3. consultem	consultassem	consultarem

PERFECT	**PLUPERFECT**	**FUTURE PERFECT**
tenha consultado *etc*	tivesse consultado *etc*	tiver consultado *etc*

INFINITIVE

PERSONAL INFINITIVE

PARTICIPLE

PRESENT consultar

PAST ter consultado

1. consultar	1. consultarmos
2. consultares	2. consultardes
3. consultar	3. consultarem

PRESENT consultando

PAST consultado

CONTAR
66 *to count; to tell*

PRESENT	IMPERFECT	FUTURE
1. conto	contava	contarei
2. contas	contavas	contarás
3. conta	contava	contará
1. contamos	contávamos	contaremos
2. contais	contáveis	contareis
3. contam	contavam	contarão

PRETERITE	PERFECT	PLUPERFECT
1. contei	tenho contado	contara
2. contaste	tens contado	contaras
3. contou	tem contado	contara
1. contámos	temos contado	contáramos
2. contastes	tendes contado	contáreis
3. contaram	têm contado	contaram

PLUPERFECT (COMPOUND)		FUTURE PERFECT
tinha contado *etc*		terei contado *etc*

CONDITIONAL

IMPERATIVE

PRESENT	PERFECT	
1. contaria	teria contado	
2. contarias	terias contado	conta
3. contaria	teria contado	conte
1. contaríamos	teríamos contado	contemos
2. contaríeis	teríeis contado	contai
3. contariam	teriam contado	contem

SUBJUNCTIVE

PRESENT	IMPERFECT	FUTURE
1. conte	contasse	contar
2. contes	contasses	contares
3. conte	contasse	contar
1. contemos	contássemos	contarmos
2. conteis	contásseis	contardes
3. contem	contassem	contarem

PERFECT	PLUPERFECT	FUTURE PERFECT
tenha contado *etc*	tivesse contado *etc*	tiver contado *etc*

INFINITIVE

PERSONAL INFINITIVE

PARTICIPLE

INFINITIVE	PERSONAL INFINITIVE		PARTICIPLE
PRESENT contar	1. contar	1. contarmos	PRESENT contando
PAST ter contado	2. contares	2. contardes	PAST contado
	3. contar	3. contarem	

PRESENT	**IMPERFECT**	**FUTURE**
1. continuo	continuava	continuarei
2. continuas	continuavas	continuarás
3. continua	continuava	continuará
1. continuamos	continuávamos	continuaremos
2. continuais	continuáveis	continuareis
3. continuam	continuavam	continuarão

PRETERITE	**PERFECT**	**PLUPERFECT**
1. continuei	tenho continuado	continuara
2. continuaste	tens continuado	continuaras
3. continuou	tem continuado	continuara
1. continuámos	temos continuado	continuáramos
2. continuastes	tendes continuado	continuáreis
3. continuaram	têm continuado	continuaram

PLUPERFECT (COMPOUND)	**FUTURE PERFECT**
tinha continuado *etc*	terei continuado *etc*

CONDITIONAL

IMPERATIVE

PRESENT	**PERFECT**	
1. continuaria	teria continuado	
2. continuarias	terias continuado	
3. continuaria	teria continuado	continua
1. continuaríamos	teríamos continuado	continue
2. continuaríeis	teríeis continuado	continuemos
3. continuariam	teriam continuado	continuai
		continuem

SUBJUNCTIVE

PRESENT	**IMPERFECT**	**FUTURE**
1. continue	continuasse	continuar
2. continues	continuasses	continuares
3. continue	continuasse	continuar
1. continuemos	continuássemos	continuarmos
2. continueis	continuásseis	continuardes
3. continuem	continuassem	continuarem

PERFECT	**PLUPERFECT**	**FUTURE PERFECT**
tenha continuado *etc*	tivesse continuado *etc*	tiver continuado *etc*

INFINITIVE

PERSONAL INFINITIVE

PARTICIPLE

PRESENT continuar	1. continuar	1. continuarmos
PAST ter continuado	2. continuares	2. continuardes
	3. continuar	3. continuarem

PRESENT continuando
PAST continuado

CONVIDAR
68 *to invite*

PRESENT	IMPERFECT	FUTURE
1. convido	convidava	convidarei
2. convidas	convidavas	convidarás
3. convida	convidava	convidará
1. convidamos	convidávamos	convidaremos
2. convidais	convidáveis	convidareis
3. convidam	convidavam	convidarão

PRETERITE	PERFECT	PLUPERFECT
1. convidei	tenho convidado	convidara
2. convidaste	tens convidado	convidaras
3. convidou	tem convidado	convidara
1. convidámos	temos convidado	convidáramos
2. convidastes	tendes convidado	convidáreis
3. convidaram	têm convidado	convidaram

PLUPERFECT (COMPOUND)		FUTURE PERFECT
tinha convidado *etc*		terei convidado *etc*

CONDITIONAL

IMPERATIVE

PRESENT	PERFECT	
1. convidaria	teria convidado	
2. convidarias	terias convidado	convida
3. convidaria	teria convidado	convide
1. convidaríamos	teríamos convidado	convidemos
2. convidaríeis	teríeis convidado	convidai
3. convidariam	teriam convidado	convidem

SUBJUNCTIVE

PRESENT	IMPERFECT	FUTURE
1. convide	convidasse	convidar
2. convides	convidasses	convidares
3. convide	convidasse	convidar
1. convidemos	convidássemos	convidarmos
2. convideis	convidásseis	convidardes
3. convidem	convidassem	convidarem

PERFECT	PLUPERFECT	FUTURE PERFECT
tenha convidado *etc*	tivesse convidado *etc*	tiver convidado *etc*

INFINITIVE

PERSONAL INFINITIVE

PARTICIPLE

PRESENT convidar	1. convidar	1. convidarmos	PRESENT convidando
PAST ter convidado	2. convidares	2. convidardes	PAST convidado
	3. convidar	3. convidarem	

PRESENT	**IMPERFECT**	**FUTURE**
1. corro	corria	correrei
2. corres	corrias	correrás
3. corre	corria	correrá
1. corremos	corríamos	correremos
2. correis	corríeis	correreis
3. correm	corriam	correrão

PRETERITE	**PERFECT**	**PLUPERFECT**
1. corri	tenho corrido	correra
2. correste	tens corrido	correras
3. correu	tem corrido	correra
1. corremos	temos corrido	corrêramos
2. correstes	tendes corrido	corrêreis
3. correram	têm corrido	correram

PLUPERFECT (COMPOUND)	**FUTURE PERFECT**
tinha corrido *etc*	terei corrido *etc*

CONDITIONAL

IMPERATIVE

PRESENT	**PERFECT**	
1. correria	teria corrido	
2. correrias	terias corrido	
3. correria	teria corrido	corre
1. correríamos	teríamos corrido	corra
2. correríeis	teríeis corrido	corramos
3. correriam	teriam corrido	correi
		corram

SUBJUNCTIVE

PRESENT	**IMPERFECT**	**FUTURE**
1. corra	corresse	correr
2. corras	corresses	correres
3. corra	corresse	correr
1. corramos	corrêssemos	corrermos
2. corrais	corrêsseis	correrdes
3. corram	corressem	correrem

PERFECT	**PLUPERFECT**	**FUTURE PERFECT**
tenha corrido *etc*	tivesse corrido *etc*	tiver corrido *etc*

INFINITIVE

PERSONAL INFINITIVE

PARTICIPLE

PRESENT correr	1. correr	1. corrermos	**PRESENT** correndo
PAST ter corrido	2. correres	2. correrdes	**PAST** corrido
	3. correr	3. correrem	

CORRIGIR
70 *to correct*

PRESENT	IMPERFECT	FUTURE
1. corrijo	corrigia	corrigirei
2. corriges	corrigias	corrigirás
3. corrige	corrigia	corrigirá
1. corrigimos	corrigíamos	corrigiremos
2. corrigis	corrigíeis	corrigireis
3. corrigem	corrigiam	corrigirão

PRETERITE	PERFECT	PLUPERFECT
1. corrigi	tenho corrigido	corrigira
2. corrigiste	tens corrigido	corrigiras
3. corrigiu	tem corrigido	corrigira
1. corrigimos	temos corrigido	corrigíramos
2. corrigistes	tendes corrigido	corrigíreis
3. corrigiram	têm corrigido	corrigiram

PLUPERFECT (COMPOUND)		FUTURE PERFECT
tinha corrigido *etc*		terei corrigido *etc*

CONDITIONAL

		IMPERATIVE
PRESENT	**PERFECT**	
1. corrigiria	teria corrigido	
2. corrigirias	terias corrigido	corrige
3. corrigiria	teria corrigido	corrija
1. corrigiríamos	teríamos corrigido	corrijamos
2. corrigiríeis	teríeis corrigido	corrigi
3. corrigiriam	teriam corrigido	corrijam

SUBJUNCTIVE

PRESENT	IMPERFECT	FUTURE
1. corrija	corrigisse	corrigir
2. corrijas	corrigisses	corrigires
3. corrija	corrigisse	corrigir
1. corrijamos	corrigíssemos	corrigirmos
2. corrijais	corrigísseis	corrigirdes
3. corrijam	corrigissem	corrigirem

PERFECT	PLUPERFECT	FUTURE PERFECT
tenha corrigido *etc*	tivesse corrigido *etc*	tiver corrigido *etc*

INFINITIVE

PERSONAL INFINITIVE

PARTICIPLE

PRESENT corrigir	1. corrigir	1. corrigirmos	**PRESENT** corrigindo
PAST ter corrigido	2. corrigires	2. corrigirdes	**PAST** corrigido
	3. corrigir	3. corrigirem	

PRESENT	**IMPERFECT**	**FUTURE**
1. corto	cortava	cortarei
2. cortas	cortavas	cortarás
3. corta	cortava	cortará
1. cortamos	cortávamos	cortaremos
2. cortais	cortáveis	cortareis
3. cortam	cortavam	cortarão

PRETERITE	**PERFECT**	**PLUPERFECT**
1. cortei	tenho cortado	cortara
2. cortaste	tens cortado	cortaras
3. cortou	tem cortado	cortara
1. cortámos	temos cortado	cortáramos
2. cortastes	tendes cortado	cortáreis
3. cortaram	têm cortado	cortaram

PLUPERFECT (COMPOUND)		**FUTURE PERFECT**
tinha cortado *etc*		terei cortado *etc*

CONDITIONAL

IMPERATIVE

PRESENT	**PERFECT**	
1. cortaria	teria cortado	
2. cortarias	terias cortado	corta
3. cortaria	teria cortado	corte
1. cortaríamos	teríamos cortado	cortemos
2. cortaríeis	teríeis cortado	cortai
3. cortariam	teriam cortado	cortem

SUBJUNCTIVE

PRESENT	**IMPERFECT**	**FUTURE**
1. corte	cortasse	cortar
2. cortes	cortasses	cortares
3. corte	cortasse	cortar
1. cortemos	cortássemos	cortarmos
2. corteis	cortásseis	cortardes
3. cortem	cortassem	cortarem

PERFECT	**PLUPERFECT**	**FUTURE PERFECT**
tenha cortado *etc*	tivesse cortado *etc*	tiver cortado *etc*

INFINITIVE

PERSONAL INFINITIVE

PARTICIPLE

PRESENT cortar	1. cortar	1. cortarmos	**PRESENT** cortando
PAST ter cortado	2. cortares	2. cortardes	**PAST** cortado
	3. cortar	3. cortarem	

COZINHAR
72 *to cook*

PRESENT	IMPERFECT	FUTURE
1. cozinho	cozinhava	cozinharei
2. cozinhas	cozinhavas	cozinharás
3. cozinha	cozinhava	cozinhará
1. cozinhamos	cozinhávamos	cozinharemos
2. cozinhais	cozinháveis	cozinhareis
3. cozinham	cozinhavam	cozinharão

PRETERITE	PERFECT	PLUPERFECT
1. cozinhei	tenho cozinhado	cozinhara
2. cozinhaste	tens cozinhado	cozinharas
3. cozinhou	tem cozinhado	cozinhara
1. cozinhámos	temos cozinhado	cozinháramos
2. cozinhastes	tendes cozinhado	cozinháreis
3. cozinharam	têm cozinhado	cozinharam

PLUPERFECT (COMPOUND)	FUTURE PERFECT
tinha cozinhado *etc*	terei cozinhado *etc*

CONDITIONAL

IMPERATIVE

PRESENT	PERFECT	
1. cozinharia	teria cozinhado	
2. cozinharias	terias cozinhado	cozinha
3. cozinharia	teria cozinhado	cozinhe
1. cozinharíamos	teríamos cozinhado	cozinhemos
2. cozinharíeis	teríeis cozinhado	cozinhai
3. cozinhariam	teriam cozinhado	cozinhem

SUBJUNCTIVE

PRESENT	IMPERFECT	FUTURE
1. cozinhe	cozinhasse	cozinhar
2. cozinhes	cozinhasses	cozinhares
3. cozinhe	cozinhasse	cozinhar
1. cozinhemos	cozinhássemos	cozinharmos
2. cozinheis	cozinhásseis	cozinhardes
3. cozinhem	cozinhassem	cozinharem

PERFECT	PLUPERFECT	FUTURE PERFECT
tenha cozinhado *etc*	tivesse cozinhado *etc*	tiver cozinhado *etc*

INFINITIVE

PERSONAL INFINITIVE

PARTICIPLE

PRESENT cozinhar	1. cozinhar	1. cozinharmos	**PRESENT** cozinhando
PAST ter cozinhado	2. cozinhares	2. cozinhardes	**PAST** cozinhado
	3. cozinhar	3. cozinharem	

PRESENT	**IMPERFECT**	**FUTURE**
1. creio	cria	crerei
2. crês	crias	crerás
3. crê	cria	crerá
1. cremos	críamos	creremos
2. credes	críeis	crereis
3. crêem	criam	crerão

PRETERITE	**PERFECT**	**PLUPERFECT**
1. cri	tenho crido	crera
2. creste	tens crido	creras
3. creu	tem crido	crera
1. cremos	temos crido	crêramos
2. crestes	tendes crido	crêreis
3. creram	têm crido	creram

PLUPERFECT (COMPOUND)	**FUTURE PERFECT**
tinha crido *etc*	terei crido *etc*

CONDITIONAL

PRESENT	**PERFECT**	**IMPERATIVE**
1. creria	teria crido	
2. crerias	terias crido	crê
3. creria	teria crido	creia
1. creríamos	teríamos crido	creiamos
2. creríeis	teríeis crido	crede
3. creriam	teriam crido	creiam

SUBJUNCTIVE

PRESENT	**IMPERFECT**	**FUTURE**
1. creia	cresse	crer
2. creias	cresses	creres
3. creia	cresse	crer
1. creiamos	crêssemos	crermos
2. creiais	crêsseis	crerdes
3. creiam	cressem	crerem

PERFECT	**PLUPERFECT**	**FUTURE PERFECT**
tenha crido *etc*	tivesse crido *etc*	tiver crido *etc*

INFINITIVE

PERSONAL INFINITIVE		**PARTICIPLE**

PRESENT crer

PAST ter crido

1. crer	1. crermos
2. creres	2. crerdes
3. crer	3. crerem

PRESENT crendo

PAST crido

CRESCER
74 *to grow*

PRESENT	IMPERFECT	FUTURE
1. cresço	crescia	crescerei
2. cresces	crescias	crescerás
3. cresce	crescia	crescerá
1. crescemos	crescíamos	cresceremos
2. cresceis	crescíeis	crescereis
3. crescem	cresciam	crescerão

PRETERITE	PERFECT	PLUPERFECT
1. cresci	tenho crescido	crescera
2. cresceste	tens crescido	cresceras
3. cresceu	tem crescido	crescera
1. crescemos	temos crescido	crescêramos
2. crescestes	tendes crescido	crescêreis
3. cresceram	têm crescido	cresceram

PLUPERFECT (COMPOUND)	FUTURE PERFECT
tinha crescido *etc*	terei crescido *etc*

CONDITIONAL

IMPERATIVE

PRESENT	PERFECT	
1. cresceria	teria crescido	
2. crescerias	terias crescido	
3. cresceria	teria crescido	cresce
1. cresceríamos	teríamos crescido	cresça
2. cresceríeis	teríeis crescido	cresçamos
3. cresceriam	teriam crescido	crescei
		cresçam

SUBJUNCTIVE

PRESENT	IMPERFECT	FUTURE
1. cresça	crescesse	crescer
2. cresças	crescesses	cresceres
3. cresça	crescesse	crescer
1. cresçamos	crescêssemos	crescermos
2. cresçais	crescêsseis	crescerdes
3. cresçam	crescessem	crescerem

PERFECT	PLUPERFECT	FUTURE PERFECT
tenha crescido *etc*	tivesse crescido *etc*	tiver crescido *etc*

INFINITIVE

PRESENT crescer

PAST ter crescido

PERSONAL INFINITIVE

1. crescer	1. crescermos
2. cresceres	2. crescerdes
3. crescer	3. crescerem

PARTICIPLE

PRESENT crescendo

PAST crescido

PRESENT	IMPERFECT	FUTURE
1. cumpro	cumpria	cumprirei
2. cumpres	cumprias	cumprirás
3. cumpre	cumpria	cumprirá
1. cumprimos	cumpríamos	cumpriremos
2. cumpris	cumpríeis	cumprireis
3. cumprem	cumpriam	cumprirão

PRETERITE	PERFECT	PLUPERFECT
1. cumpri	tenho cumprido	cumprira
2. cumpriste	tens cumprido	cumpriras
3. cumpriu	tem cumprido	cumprira
1. cumprimos	temos cumprido	cumpríramos
2. cumpristes	tendes cumprido	cumpríreis
3. cumpriram	têm cumprido	cumpriram

PLUPERFECT (COMPOUND)		FUTURE PERFECT
tinha cumprido *etc*		terei cumprido *etc*

CONDITIONAL

IMPERATIVE

PRESENT	PERFECT	
1. cumpriria	teria cumprido	
2. cumpririas	terias cumprido	cumpre
3. cumpriria	teria cumprido	cumpra
1. cumpriríamos	teríamos cumprido	cumpramos
2. cumpriríeis	teríeis cumprido	cumpri
3. cumpririam	teriam cumprido	cumpram

SUBJUNCTIVE

PRESENT	IMPERFECT	FUTURE
1. cumpra	cumprisse	cumprir
2. cumpras	cumprisses	cumprires
3. cumpra	cumprisse	cumprir
1. cumpramos	cumpríssemos	cumprirmos
2. cumprais	cumprísseis	cumprirdes
3. cumpram	cumprissem	cumprirem

PERFECT	PLUPERFECT	FUTURE PERFECT
tenha cumprido *etc*	tivesse cumprido *etc*	tiver cumprido *etc*

INFINITIVE

PERSONAL INFINITIVE

PARTICIPLE

INFINITIVE	PERSONAL INFINITIVE		PARTICIPLE
PRESENT cumprir	1. cumprir	1. cumprirmos	PRESENT cumprindo
PAST ter cumprido	2. cumprires	2. cumprirdes	PAST cumprido
	3. cumprir	3. cumprirem	

CUSTAR
76 _to cost_

PRESENT	IMPERFECT	FUTURE
1.		
2.		
3. custa	custava	custará
1.		
2.		
3. custam	custavam	custarão

PRETERITE	PERFECT	PLUPERFECT
1.		
2.		
3. custou	tem custado	custara
1.		
2.		
3. custaram	têm custado	custaram

PLUPERFECT (COMPOUND)	FUTURE PERFECT
tinha custado _etc_	terá custado _etc_

CONDITIONAL

PRESENT	PERFECT
1.	
2.	
3. custaria	teria custado
1.	
2.	
3. custariam	teriam custado

SUBJUNCTIVE

PRESENT	IMPERFECT	FUTURE
1.		
2.		
3. custe	custasse	custar
1.		
2.		
3. custem	custassem	custarem

PERFECT	PLUPERFECT	FUTURE PERFECT
tenha custado _etc_	tivesse custado _etc_	tiver custado _etc_

INFINITIVE	PERSONAL INFINITIVE	PARTICIPLE
PRESENT custar		PRESENT custando
PAST ter custado		PAST custado
	3. custar 3. custarem	

PRESENT	IMPERFECT	FUTURE
1. danço	dançava	dançarei
2. danças	dançavas	dançarás
3. dança	dançava	dançará
1. dançamos	dançávamos	dançaremos
2. dançais	dançáveis	dançareis
3. dançam	dançavam	dançarão

PRETERITE	PERFECT	PLUPERFECT
1. dancei	tenho dançado	dançara
2. dançaste	tens dançado	dançaras
3. dançou	tem dançado	dançara
1. dançámos	temos dançado	dançáramos
2. dançastes	tendes dançado	dançáreis
3. dançaram	têm dançado	dançaram

PLUPERFECT (COMPOUND)
tinha dançado *etc*

FUTURE PERFECT
terei dançado *etc*

CONDITIONAL

IMPERATIVE

PRESENT	PERFECT	
1. dançaria	teria dançado	
2. dançarias	terias dançado	dança
3. dançaria	teria dançado	dance
1. dançaríamos	teríamos dançado	dancemos
2. dançaríeis	teríeis dançado	dançai
3. dançariam	teriam dançado	dancem

SUBJUNCTIVE

PRESENT	IMPERFECT	FUTURE
1. dance	dançasse	dançar
2. dances	dançasses	dançares
3. dance	dançasse	dançar
1. dancemos	dançássemos	dançarmos
2. danceis	dançásseis	dançardes
3. dancem	dançassem	dançarem

PERFECT
tenha dançado *etc*

PLUPERFECT
tivesse dançado *etc*

FUTURE PERFECT
tiver dançado *etc*

INFINITIVE

PRESENT dançar
PAST ter dançado

PERSONAL INFINITIVE

1. dançar	1. dançarmos
2. dançares	2. dançardes
3. dançar	3. dançarem

PARTICIPLE

PRESENT dançando
PAST dançado

PRESENT	**IMPERFECT**	**FUTURE**
1. dou	dava	darei
2. dás	davas	darás
3. dá	dava	dará
1. damos	dávamos	daremos
2. dais	dáveis	dareis
3. dão	davam	darão

PRETERITE	**PERFECT**	**PLUPERFECT**
1. dei	tenho dado	dera
2. deste	tens dado	deras
3. deu	tem dado	dera
1. demos	temos dado	déramos
2. destes	tendes dado	déreis
3. deram	têm dado	deram

PLUPERFECT (COMPOUND)	**FUTURE PERFECT**
tinha dado *etc*	terei dado *etc*

CONDITIONAL

IMPERATIVE

PRESENT	**PERFECT**	
1. daria	teria dado	
2. darias	terias dado	dá
3. daria	teria dado	dê
1. daríamos	teríamos dado	dêmos
2. daríeis	teríeis dado	dai
3. dariam	teriam dado	dêem

SUBJUNCTIVE

PRESENT	**IMPERFECT**	**FUTURE**
1. dê	desse	der
2. dês	desses	deres
3. dê	desse	der
1. dêmos	déssemos	dermos
2. deis	désseis	derdes
3. dêem	dessem	derem

PERFECT	**PLUPERFECT**	**FUTURE PERFECT**
tenha dado *etc*	tivesse dado *etc*	tiver dado *etc*

INFINITIVE

PERSONAL INFINITIVE

PARTICIPLE

PRESENT dar			**PRESENT** dando
PAST ter dado	1. dar	1. darmos	**PAST** dado
	2. dares	2. dardes	
	3. dar	3. darem	

PRESENT
1. decido
2. decides
3. decide
1. decidimos
2. decidis
3. decidem

IMPERFECT
decidia
decidias
decidia
decidíamos
decidíeis
decidiam

FUTURE
decidirei
decidirás
decidirá
decidiremos
decidireis
decidirão

PRETERITE
1. decidi
2. decidiste
3. decidiu
1. decidimos
2. decidistes
3. decidiram

PERFECT
tenho decidido
tens decidido
tem decidido
temos decidido
tendes decidido
têm decidido

PLUPERFECT
decidira
decidiras
decidira
decidíramos
decidíreis
decidiram

PLUPERFECT (COMPOUND)
tinha decidido *etc*

FUTURE PERFECT
terei decidido *etc*

CONDITIONAL

PRESENT
1. decidiria
2. decidirias
3. decidiria
1. decidiríamos
2. decidiríeis
3. decidiriam

PERFECT
teria decidido
terias decidido
teria decidido
teríamos decidido
teríeis decidido
teriam decidido

IMPERATIVE

decide
decida
decidamos
decidi
decidam

SUBJUNCTIVE

PRESENT
1. decida
2. decidas
3. decida
1. decidamos
2. decidais
3. decidam

IMPERFECT
decidisse
decidisses
decidisse
decidíssemos
decidísseis
decidissem

FUTURE
decidir
decidires
decidir
decidirmos
decidirdes
decidirem

PERFECT
tenha decidido *etc*

PLUPERFECT
tivesse decidido *etc*

FUTURE PERFECT
tiver decidido *etc*

INFINITIVE

PRESENT decidir
PAST ter decidido

PERSONAL INFINITIVE

1. decidir
2. decidires
3. decidir
1. decidirmos
2. decidirdes
3. decidirem

PARTICIPLE

PRESENT decidindo
PAST decidido

DEFENDER
80 *to defend*

PRESENT	IMPERFECT	FUTURE
1. defendo	defendia	defenderei
2. defendes	defendias	defenderás
3. defende	defendia	defenderá
1. defendemos	defendíamos	defenderemos
2. defendeis	defendíeis	defendereis
3. defendem	defendiam	defenderão

PRETERITE	PERFECT	PLUPERFECT
1. defendi	tenho defendido	defendera
2. defendeste	tens defendido	defenderas
3. defendeu	tem defendido	defendera
1. defendemos	temos defendido	defendêramos
2. defendestes	tendes defendido	defendêreis
3. defenderam	têm defendido	defenderam

PLUPERFECT (COMPOUND)	FUTURE PERFECT
tinha defendido *etc*	terei defendido *etc*

CONDITIONAL

IMPERATIVE

PRESENT	PERFECT	
1. defenderia	teria defendido	
2. defenderias	terias defendido	defende
3. defenderia	teria defendido	defenda
1. defenderíamos	teríamos defendido	defendamos
2. defenderíeis	teríeis defendido	defendei
3. defenderiam	teriam defendido	defendam

SUBJUNCTIVE

PRESENT	IMPERFECT	FUTURE
1. defenda	defendesse	defender
2. defendas	defendesses	defenderes
3. defenda	defendesse	defender
1. defendamos	defendêssemos	defendermos
2. defendais	defendêsseis	defenderdes
3. defendam	defendessem	defenderem

PERFECT	PLUPERFECT	FUTURE PERFECT
tenha defendido *etc*	tivesse defendido *etc*	tiver defendido *etc*

INFINITIVE

PERSONAL INFINITIVE

PARTICIPLE

PRESENT defender	1. defender	1. defendermos	PRESENT defendendo
PAST ter defendido	2. defenderes	2. defenderdes	PAST defendido
	3. defender	3. defenderem	

PRESENT	IMPERFECT	FUTURE
1. deito	deitava	deitarei
2. deitas	deitavas	deitarás
3. deita	deitava	deitará
1. deitamos	deitávamos	deitaremos
2. deitais	deitáveis	deitareis
3. deitam	deitavam	deitarão

PRETERITE	PERFECT	PLUPERFECT
1. deitei	tenho deitado	deitara
2. deitaste	tens deitado	deitaras
3. deitou	tem deitado	deitara
1. deitámos	temos deitado	deitáramos
2. deitastes	tendes deitado	deitáreis
3. deitaram	têm deitado	deitaram

PLUPERFECT (COMPOUND)		FUTURE PERFECT
tinha deitado *etc*		terei deitado *etc*

CONDITIONAL

IMPERATIVE

PRESENT	PERFECT	
1. deitaria	teria deitado	
2. deitarias	terias deitado	deita
3. deitaria	teria deitado	deite
1. deitaríamos	teríamos deitado	deitemos
2. deitaríeis	teríeis deitado	deitai
3. deitariam	teriam deitado	deitem

SUBJUNCTIVE

PRESENT	IMPERFECT	FUTURE
1. deite	deitasse	deitar
2. deites	deitasses	deitares
3. deite	deitasse	deitar
1. deitemos	deitássemos	deitarmos
2. deiteis	deitásseis	deitardes
3. deitem	deitassem	deitarem

PERFECT	PLUPERFECT	FUTURE PERFECT
tenha deitado *etc*	tivesse deitado *etc*	tiver deitado *etc*

INFINITIVE

PERSONAL INFINITIVE

PARTICIPLE

PRESENT deitar	1. deitar	1. deitarmos	**PRESENT** deitando
PAST ter deitado	2. deitares	2. deitardes	**PAST** deitado
	3. deitar	3. deitarem	

PRESENT	**IMPERFECT**	**FUTURE**
1. deixo	deixava	deixarei
2. deixas	deixavas	deixarás
3. deixa	deixava	deixará
1. deixamos	deixávamos	deixaremos
2. deixais	deixáveis	deixareis
3. deixam	deixavam	deixarão

PRETERITE	**PERFECT**	**PLUPERFECT**
1. deixei	tenho deixado	deixara
2. deixaste	tens deixado	deixaras
3. deixou	tem deixado	deixara
1. deixámos	temos deixado	deixáramos
2. deixastes	tendes deixado	deixáreis
3. deixaram	têm deixado	deixaram

PLUPERFECT (COMPOUND)	**FUTURE PERFECT**
tinha deixado *etc*	terei deixado *etc*

CONDITIONAL

IMPERATIVE

PRESENT	**PERFECT**	
1. deixaria	teria deixado	
2. deixarias	terias deixado	deixa
3. deixaria	teria deixado	deixe
1. deixaríamos	teríamos deixado	deixemos
2. deixaríeis	teríeis deixado	deixai
3. deixariam	teriam deixado	deixem

SUBJUNCTIVE

PRESENT	**IMPERFECT**	**FUTURE**
1. deixe	deixasse	deixar
2. deixes	deixasses	deixares
3. deixe	deixasse	deixar
1. deixemos	deixássemos	deixarmos
2. deixeis	deixásseis	deixardes
3. deixem	deixassem	deixarem

PERFECT	**PLUPERFECT**	**FUTURE PERFECT**
tenha deixado *etc*	tivesse deixado *etc*	tiver deixado *etc*

INFINITIVE

PERSONAL INFINITIVE

PARTICIPLE

PRESENT deixar	1. deixar	1. deixarmos	**PRESENT** deixando
PAST ter deixado	2. deixares	2. deixardes	**PAST** deixado
	3. deixar	3. deixarem	

PRESENT	**IMPERFECT**	**FUTURE**
1. dependo	dependia	dependerei
2. dependes	dependias	dependerás
3. depende	dependia	dependerá
1. dependemos	dependíamos	dependeremos
2. dependeis	dependíeis	dependereis
3. dependem	dependiam	dependerão

PRETERITE	**PERFECT**	**PLUPERFECT**
1. dependi	tenho dependido	dependera
2. dependeste	tens dependido	dependeras
3. dependeu	tem dependido	dependera
1. dependemos	temos dependido	dependêramos
2. dependestes	tendes dependido	dependêreis
3. dependeram	têm dependido	dependeram

PLUPERFECT (COMPOUND)	**FUTURE PERFECT**
tinha dependido *etc*	terei dependido *etc*

CONDITIONAL

IMPERATIVE

PRESENT	**PERFECT**	
1. dependeria	teria dependido	
2. dependerias	terias dependido	
3. dependeria	teria dependido	depende
1. dependeríamos	teríamos dependido	dependa
2. dependeríeis	teríeis dependido	dependamos
3. dependeriam	teriam dependido	dependei
		dependam

SUBJUNCTIVE

PRESENT	**IMPERFECT**	**FUTURE**
1. dependa	dependesse	depender
2. dependas	dependesses	dependeres
3. dependa	dependesse	depender
1. dependamos	dependêssemos	dependermos
2. dependais	dependêsseis	dependerdes
3. dependam	dependessem	dependerem

PERFECT	**PLUPERFECT**	**FUTURE PERFECT**
tenha dependido *etc*	tivesse dependido *etc*	tiver dependido *etc*

INFINITIVE

PERSONAL INFINITIVE

PARTICIPLE

PRESENT depender	1. depender	1. dependermos	**PRESENT** dependendo
PAST ter dependido	2. dependeres	2. dependerdes	**PAST** dependido
	3. depender	3. dependerem	

DEPOSITAR
84 *to deposit*

PRESENT	IMPERFECT	FUTURE
1. deposito	depositava	depositarei
2. depositas	depositavas	depositarás
3. deposita	depositava	depositará
1. depositamos	depositávamos	depositaremos
2. depositais	depositáveis	depositareis
3. depositam	depositavam	depositarão

PRETERITE	PERFECT	PLUPERFECT
1. depositei	tenho depositado	depositara
2. depositaste	tens depositado	depositaras
3. depositou	tem depositado	depositara
1. depositámos	temos depositado	depositáramos
2. depositastes	tendes depositado	depositáreis
3. depositaram	têm depositado	depositaram

PLUPERFECT (COMPOUND)	FUTURE PERFECT
tinha depositado *etc*	terei depositado *etc*

CONDITIONAL

PRESENT	PERFECT
1. depositaria	teria depositado
2. depositarias	terias depositado
3. depositaria	teria depositado
1. depositaríamos	teríamos depositado
2. depositaríeis	teríeis depositado
3. depositariam	teriam depositado

IMPERATIVE

deposita
deposite
depositemos
depositai
depositem

SUBJUNCTIVE

PRESENT	IMPERFECT	FUTURE
1. deposite	depositasse	depositar
2. deposites	depositasses	depositares
3. deposite	depositasse	depositar
1. depositemos	depositássemos	depositarmos
2. depositeis	depositásseis	depositardes
3. depositem	depositassem	depositarem

PERFECT	PLUPERFECT	FUTURE PERFECT
tenha depositado *etc*	tivesse depositado *etc*	tiver depositado *etc*

INFINITIVE

PRESENT depositar
PAST ter depositado

PERSONAL INFINITIVE

1. depositar	1. depositarmos
2. depositares	2. depositardes
3. depositar	3. depositarem

PARTICIPLE

PRESENT depositando
PAST depositado

PRESENT	**IMPERFECT**	**FUTURE**
1. desço	descia	descerei
2. desces	descias	descerás
3. desce	descia	descerá
1. descemos	descíamos	desceremos
2. desceis	descíeis	descereis
3. descem	desciam	descerão

PRETERITE	**PERFECT**	**PLUPERFECT**
1. desci	tenho descido	descera
2. desceste	tens descido	desceras
3. desceu	tem descido	descera
1. descemos	temos descido	descêramos
2. descestes	tendes descido	descêreis
3. desceram	têm descido	desceram

PLUPERFECT (COMPOUND)
tinha descido *etc*

FUTURE PERFECT
terei descido *etc*

CONDITIONAL

IMPERATIVE

PRESENT	**PERFECT**	
1. desceria	teria descido	
2. descerias	terias descido	desce
3. desceria	teria descido	desça
1. desceríamos	teríamos descido	desçamos
2. desceríeis	teríeis descido	descei
3. desceriam	teriam descido	desçam

SUBJUNCTIVE

PRESENT	**IMPERFECT**	**FUTURE**
1. desça	descesse	descer
2. desças	descesses	desceres
3. desça	descesse	descer
1. desçamos	descêssemos	descermos
2. desçais	descêsseis	descerdes
3. desçam	descessem	descerem

PERFECT	**PLUPERFECT**	**FUTURE PERFECT**
tenha descido *etc*	tivesse descido *etc*	tiver descido *etc*

INFINITIVE

PRESENT descer
PAST ter descido

PERSONAL INFINITIVE

1. descer	1. descermos
2. desceres	2. descerdes
3. descer	3. descerem

PARTICIPLE

PRESENT descendo
PAST descido

DESCOBRIR
86 *to discover*

PRESENT	IMPERFECT	FUTURE
1. descubro	descobria	descobrirei
2. descobres	descobrias	descobrirás
3. descobre	descobria	descobrirá
1. descobrimos	descobríamos	descobriremos
2. descobris	descobríeis	descobrireis
3. descobrem	descobriam	descobrirão

PRETERITE	PERFECT	PLUPERFECT
1. descobri	tenho descoberto	descobrira
2. descobriste	tens descoberto	descobriras
3. descobriu	tem descoberto	descobrira
1. descobrimos	temos descoberto	descobríramos
2. descobristes	tendes descoberto	descobríreis
3. descobriram	têm descoberto	descobriram

PLUPERFECT (COMPOUND)
tinha descoberto *etc*

FUTURE PERFECT
terei descoberto *etc*

CONDITIONAL

IMPERATIVE

PRESENT	PERFECT	
1. descobriria	teria descoberto	
2. descobririas	terias descoberto	descobre
3. descobriria	teria descoberto	descubra
1. descobriríamos	teríamos descoberto	descubramos
2. descobriríeis	teríeis descoberto	descobri
3. descobririam	teriam descoberto	descubram

SUBJUNCTIVE

PRESENT	IMPERFECT	FUTURE
1. descubra	descobrisse	descobrir
2. descubras	descobrisses	descobrires
3. descubra	descobrisse	descobrir
1. descubramos	descobríssemos	descobrirmos
2. descubrais	descobrísseis	descobrirdes
3. descubram	descobrissem	descobrirem

PERFECT	PLUPERFECT	FUTURE PERFECT
tenha descoberto *etc*	tivesse descoberto *etc*	tiver descoberto *etc*

INFINITIVE

PERSONAL INFINITIVE

PARTICIPLE

PRESENT descobrir
PAST ter descoberto

1. descobrir	1. descobrirmos
2. descobrires	2. descobrirdes
3. descobrir	3. descobrirem

PRESENT descobrindo
PAST descoberto

PRESENT	IMPERFECT	FUTURE
1. destruo	destruía	destruirei
2. destruis/destróis	destruías	destruirás
3. destrui/destrói	destruía	destruirá
1. destruímos	destruíamos	destruiremos
2. destruís	destruíeis	destruireis
3. destruem/destroem	destruíam	destruirão

PRETERITE	PERFECT	PLUPERFECT
1. destruí	tenho destruído	destruíra
2. destruíste	tens destruído	destruíras
3. destruiu	tem destruído	destruíra
1. destruímos	temos destruído	destruíramos
2. destruístes	tendes destruído	destruíreis
3. destruíram	têm destruído	destruíram

PLUPERFECT (COMPOUND)
tinha destruído *etc*

FUTURE PERFECT
terei destruído *etc*

CONDITIONAL

IMPERATIVE

PRESENT	PERFECT	
1. destruiria	teria destruído	
2. destruirias	terias destruído	destrui/destrói
3. destruiria	teria destruído	destrua
1. destruiríamos	teríamos destruído	destruamos
2. destruiríeis	teríeis destruído	destruí
3. destruiriam	teriam destruído	destruam

SUBJUNCTIVE

PRESENT	IMPERFECT	FUTURE
1. destrua	destruísse	destruir
2. destruas	destruísses	destruíres
3. destrua	destruísse	destruir
1. destruamos	destruíssemos	destruirmos
2. destruais	destruísseis	destruirdes
3. destruam	destruíssem	destruírem

PERFECT	PLUPERFECT	FUTURE PERFECT
tenha destruído *etc*	tivesse destruído *etc*	tiver destruído *etc*

INFINITIVE

PERSONAL INFINITIVE

PARTICIPLE

PRESENT destruir

PAST ter destruído

1. destruir	1. destruirmos
2. destruíres	2. destruirdes
3. destruir	3. destruírem

PRESENT destruindo

PAST destruído

to have to; to owe

PRESENT	IMPERFECT	FUTURE
1. devo	devia	deverei
2. deves	devias	deverás
3. deve	devia	deverá
1. devemos	devíamos	deveremos
2. deveis	devíeis	devereis
3. devem	deviam	deverão

PRETERITE	PERFECT	PLUPERFECT
1. devi	tenho devido	devera
2. deveste	tens devido	deveras
3. deveu	tem devido	devera
1. devemos	temos devido	devêramos
2. devestes	tendes devido	devêreis
3. deveram	têm devido	deveram

PLUPERFECT (COMPOUND)		FUTURE PERFECT
tinha devido *etc*		terei devido *etc*

CONDITIONAL

IMPERATIVE

PRESENT	PERFECT	
1. deveria	teria devido	
2. deverias	terias devido	deve
3. deveria	teria devido	deva
1. deveríamos	teríamos devido	devamos
2. deveríeis	teríeis devido	devei
3. deveriam	teriam devido	devam

SUBJUNCTIVE

PRESENT	IMPERFECT	FUTURE
1. deva	devesse	dever
2. devas	devesses	deveres
3. deva	devesse	dever
1. devamos	devêssemos	devermos
2. devais	devêsseis	deverdes
3. devam	devessem	deverem

PERFECT	PLUPERFECT	FUTURE PERFECT
tenha devido *etc*	tivesse devido *etc*	tiver devido *etc*

INFINITIVE

PERSONAL INFINITIVE

PARTICIPLE

INFINITIVE	PERSONAL INFINITIVE		PARTICIPLE
PRESENT dever	1. dever	1. devermos	PRESENT devendo
PAST ter devido	2. deveres	2. deverdes	PAST devido
	3. dever	3. deverem	

PRESENT	IMPERFECT	FUTURE
1. diminuo	diminuía	diminuirei
2. diminuis	diminuías	diminuirás
3. diminui	diminuía	diminuirá
1. diminuímos	diminuíamos	diminuiremos
2. diminuís	diminuíeis	diminuireis
3. diminuem	diminuíam	diminuirão

PRETERITE	PERFECT	PLUPERFECT
1. diminuí	tenho diminuído	diminuíra
2. diminuíste	tens diminuído	diminuíras
3. diminuiu	tem diminuído	diminuíra
1. diminuímos	temos diminuído	diminuíramos
2. diminuístes	tendes diminuído	diminuíreis
3. diminuíram	têm diminuído	diminuíram

PLUPERFECT (COMPOUND)	FUTURE PERFECT
tinha diminuído *etc*	terei diminuído *etc*

CONDITIONAL

IMPERATIVE

PRESENT	PERFECT	
1. diminuiria	teria diminuído	
2. diminuirias	terias diminuído	diminui
3. diminuiria	teria diminuído	diminua
1. diminuiríamos	teríamos diminuído	diminuamos
2. diminuiríeis	teríeis diminuído	diminuí
3. diminuiriam	teriam diminuído	diminuam

SUBJUNCTIVE

PRESENT	IMPERFECT	FUTURE
1. diminua	diminuísse	diminuir
2. diminuas	diminuísses	diminuíres
3. diminua	diminuísse	diminuir
1. diminuamos	diminuíssemos	diminuirmos
2. diminuais	diminuísseis	diminuirdes
3. diminuam	diminuíssem	diminuírem

PERFECT	PLUPERFECT	FUTURE PERFECT
tenha diminuído *etc*	tivesse diminuído *etc*	tiver diminuído *etc*

INFINITIVE

PERSONAL INFINITIVE

PARTICIPLE

INFINITIVE	PERSONAL INFINITIVE		PARTICIPLE
PRESENT diminuir	1. diminuir	1. diminuirmos	PRESENT diminuindo
PAST ter diminuído	2. diminuíres	2. diminuirdes	PAST diminuído
	3. diminuir	3. diminuírem	

DIRIGIR
90 *to direct; to drive*

PRESENT	IMPERFECT	FUTURE
1. dirijo	dirigia	dirigirei
2. diriges	dirigias	dirigirás
3. dirige	dirigia	dirigirá
1. dirigimos	dirigíamos	dirigiremos
2. dirigis	dirigíeis	dirigireis
3. dirigem	dirigiam	dirigirão

PRETERITE	PERFECT	PLUPERFECT
1. dirigi	tenho dirigido	dirigira
2. dirigiste	tens dirigido	dirigiras
3. dirigiu	tem dirigido	dirigira
1. dirigimos	temos dirigido	dirigíramos
2. dirigistes	tendes dirigido	dirigíreis
3. dirigiram	têm dirigido	dirigiram

PLUPERFECT (COMPOUND)	FUTURE PERFECT
tinha dirigido *etc*	terei dirigido *etc*

CONDITIONAL

IMPERATIVE

PRESENT	PERFECT	
1. dirigiria	teria dirigido	
2. dirigirias	terias dirigido	dirige
3. dirigiria	teria dirigido	dirija
1. dirigiríamos	teríamos dirigido	dirijamos
2. dirigiríeis	teríeis dirigido	dirigi
3. dirigiriam	teriam dirigido	dirijam

SUBJUNCTIVE

PRESENT	IMPERFECT	FUTURE
1. dirija	dirigisse	dirigir
2. dirijas	dirigisses	dirigires
3. dirija	dirigisse	dirigir
1. dirijamos	dirigíssemos	dirigirmos
2. dirijais	dirigísseis	dirigirdes
3. dirijam	dirigissem	dirigirem

PERFECT	PLUPERFECT	FUTURE PERFECT
tenha dirigido *etc*	tivesse dirigido *etc*	tiver dirigido *etc*

INFINITIVE

PERSONAL INFINITIVE

PARTICIPLE

PRESENT dirigir	1. dirigir	1. dirigirmos	**PRESENT** dirigindo
PAST ter dirigido	2. dirigires	2. dirigirdes	**PAST** dirigido
	3. dirigir	3. dirigirem	

PRESENT	IMPERFECT	FUTURE
1. discerno	discernia	discernirei
2. discernes	discernias	discernirás
3. discerne	discernia	discernirá
1. discernimos	discerníamos	discerniremos
2. discernis	discerníeis	discernireis
3. discernem	discerniam	discernirão

PRETERITE	PERFECT	PLUPERFECT
1. discerni	tenho discernido	discernira
2. discerniste	tens discernido	discerniras
3. discerniu	tem discernido	discernira
1. discernimos	temos discernido	discerníramos
2. discernistes	tendes discernido	discerníreis
3. discerniram	têm discernido	discerniram

PLUPERFECT (COMPOUND)	FUTURE PERFECT
tinha discernido *etc*	terei discernido *etc*

CONDITIONAL

IMPERATIVE

PRESENT	PERFECT	
1. discerniria	teria discernido	
2. discernirias	terias discernido	discerne
3. discerniria	teria discernido	discerna
1. discerniríamos	teríamos discernido	discernamos
2. discerniríeis	teríeis discernido	discerni
3. discerniriam	teriam discernido	discernam

SUBJUNCTIVE

PRESENT	IMPERFECT	FUTURE
1. discerna	discernisse	discernir
2. discernas	discernisses	discernires
3. discerna	discernisse	discernir
1. discernamos	discerníssemos	discernirmos
2. discernais	discernísseis	discernirdes
3. discernam	discernissem	discernirem

PERFECT	PLUPERFECT	FUTURE PERFECT
tenha discernido *etc*	tivesse discernido *etc*	tiver discernido *etc*

INFINITIVE

PERSONAL INFINITIVE

PARTICIPLE

PRESENT discernir	1. discernir	1. discernirmos	**PRESENT** discernindo
PAST ter discernido	2. discernires	2. discernirdes	**PAST** discernido
	3. discernir	3. discernirem	

PRESENT	IMPERFECT	FUTURE
1. distingo	distinguia	distinguirei
2. distingues	distinguias	distinguirás
3. distingue	distinguia	distinguirá
1. distinguimos	distinguíamos	distinguiremos
2. distinguis	distinguíeis	distinguireis
3. distinguem	distinguiam	distinguirão

PRETERITE	PERFECT	PLUPERFECT
1. distingui	tenho distinguido	distinguira
2. distinguiste	tens distinguido	distinguiras
3. distinguiu	tem distinguido	distinguira
1. distinguimos	temos distinguido	distinguíramos
2. distinguistes	tendes distinguido	distinguíreis
3. distinguiram	têm distinguido	distinguiram

PLUPERFECT (COMPOUND)		FUTURE PERFECT
tinha distinguido *etc*		terei distinguido *etc*

CONDITIONAL

IMPERATIVE

PRESENT	PERFECT	
1. distinguiria	teria distinguido	
2. distinguirias	terias distinguido	
3. distinguiria	teria distinguido	distingue
1. distinguiríamos	teríamos distinguido	distinga
2. distinguiríeis	teríeis distinguido	distinguamos
3. distinguiriam	teriam distinguido	distingui
		distingam

SUBJUNCTIVE

PRESENT	IMPERFECT	FUTURE
1. distinga	distinguisse	distinguir
2. distingas	distinguisses	distinguires
3. distinga	distinguisse	distinguir
1. distingamos	distinguíssemos	distinguirmos
2. distingais	distinguísseis	distinguirdes
3. distingam	distinguissem	distinguirem

PERFECT	PLUPERFECT	FUTURE PERFECT
tenha distinguido *etc*	tivesse distinguido *etc*	tiver distinguido *etc*

INFINITIVE

PERSONAL INFINITIVE

PARTICIPLE

PRESENT distinguir	1. distinguir	1. distinguirmos	**PRESENT** distinguindo
PAST ter distinguido	2. distinguires	2. distinguirdes	**PAST** distinguido
	3. distinguir	3. distinguirem	

PRESENT
1. divirto-me
2. divertes-te
3. diverte-se
1. divertimo-nos
2. divertis-vos
3. divertem-se

IMPERFECT
divertia-me
divertias-te
divertia-se
divertíamo-nos
divertíeis-vos
divertiam-se

FUTURE
divertir-me-ei
divertir-te-ás
divertir-se-á
divertir-nos-emos
divertir-vos-eis
divertir-se-ão

PRETERITE
1. diverti-me
2. divertiste-te
3. divertiu-se
1. divertimo-nos
2. divertistes-vos
3. divertiram-se

PERFECT
tenho-me divertido
tens-te divertido
tem-se divertido
temo-nos divertido
tendes-vos divertido
têm-se divertido

PLUPERFECT
divertira-me
divertiras-te
divertira-se
divertíramo-nos
divertíreis-vos
divertiram-se

PLUPERFECT (COMPOUND)
tinha-me divertido *etc*

FUTURE PERFECT
ter-me-ei divertido *etc*

CONDITIONAL

PRESENT
1. divertir-me-ia
2. divertir-te-ias
3. divertir-se-ia
1. divertir-nos-íamos
2. divertir-vos-íeis
3. divertir-se-iam

PERFECT
ter-me-ia divertido
ter-te-ias divertido
ter-se-ia divertido
ter-nos-íamos divertido
ter-vos-íeis divertido
ter-se-iam divertido

IMPERATIVE

diverte-te
divirta-se
divirtamo-nos
diverti-vos
divirtam-se

SUBJUNCTIVE

PRESENT
1. me divirta
2. te divirtas
3. se divirta
1. nos divirtamos
2. vos divirtais
3. se divirtam

IMPERFECT
me divertisse
te divertisses
se divertisse
nos divertíssemos
vos divertísseis
se divertissem

FUTURE
me divertir
te divertires
se divertir
nos divertirmos
vos divertirdes
se divertirem

PERFECT
me tenha divertido *etc*

PLUPERFECT
me tivesse divertido *etc*

FUTURE PERFECT
me tiver divertido *etc*

INFINITIVE

PRESENT divertir-se
PAST ter-se divertido

PERSONAL INFINITIVE

1. me divertir
2. te divertires
3. se divertir
1. nos divertirmos
2. vos divertirdes
3. se divertirem

PARTICIPLE

PRESENT divertindo-se
PAST divertido

DIVIDIR
94 *to divide*

PRESENT	IMPERFECT	FUTURE
1. divido	dividia	dividirei
2. divides	dividias	dividirás
3. divide	dividia	dividirá
1. dividimos	dividíamos	dividiremos
2. dividis	dividíeis	dividireis
3. dividem	dividiam	dividirão

PRETERITE	PERFECT	PLUPERFECT
1. dividi	tenho dividido	dividira
2. dividiste	tens dividido	dividiras
3. dividiu	tem dividido	dividira
1. dividimos	temos dividido	dividíramos
2. dividistes	tendes dividido	dividíreis
3. dividiram	têm dividido	dividiram

PLUPERFECT (COMPOUND)	FUTURE PERFECT
tinha dividido *etc*	terei dividido *etc*

CONDITIONAL

IMPERATIVE

PRESENT	PERFECT	
1. dividiria	teria dividido	
2. dividirias	terias dividido	divide
3. dividiria	teria dividido	divida
1. dividiríamos	teríamos dividido	dividamos
2. dividiríeis	teríeis dividido	dividi
3. dividiriam	teriam dividido	dividam

SUBJUNCTIVE

PRESENT	IMPERFECT	FUTURE
1. divida	dividisse	dividir
2. dividas	dividisses	dividires
3. divida	dividisse	dividir
1. dividamos	dividíssemos	dividirmos
2. dividais	dividísseis	dividirdes
3. dividam	dividissem	dividirem

PERFECT	PLUPERFECT	FUTURE PERFECT
tenha dividido *etc*	tivesse dividido *etc*	tiver dividido *etc*

INFINITIVE

PERSONAL INFINITIVE

PARTICIPLE

PRESENT dividir	1. dividir	1. dividirmos	PRESENT dividindo
PAST ter dividido	2. dividires	2. dividirdes	PAST dividido
	3. dividir	3. dividirem	

PRESENT	IMPERFECT	FUTURE
1. digo	dizia	direi
2. dizes	dizias	dirás
3. diz	dizia	dirá
1. dizemos	dizíamos	diremos
2. dizeis	dizíeis	direis
3. dizem	diziam	dirão

PRETERITE	PERFECT	PLUPERFECT
1. disse	tenho dito	dissera
2. disseste	tens dito	disseras
3. disse	tem dito	dissera
1. dissemos	temos dito	disséramos
2. dissestes	tendes dito	dissêreis
3. disseram	têm dito	disseram

PLUPERFECT (COMPOUND)		FUTURE PERFECT
tinha dito *etc*		terei dito *etc*

CONDITIONAL

PRESENT	PERFECT	IMPERATIVE
1. diria	teria dito	
2. dirias	terias dito	diz(e)
3. diria	teria dito	diga
1. diríamos	teríamos dito	digamos
2. diríeis	teríeis dito	dizei
3. diriam	teriam dito	digam

SUBJUNCTIVE

PRESENT	IMPERFECT	FUTURE
1. diga	dissesse	disser
2. digas	dissesses	disseres
3. diga	dissesse	disser
1. digamos	disséssemos	dissermos
2. digais	dissêsseis	disserdes
3. digam	dissessem	disserem

PERFECT	PLUPERFECT	FUTURE PERFECT
tenha dito *etc*	tivesse dito *etc*	tiver dito *etc*

INFINITIVE

	PERSONAL INFINITIVE		PARTICIPLE
PRESENT dizer	1. dizer	1. dizermos	**PRESENT** dizendo
PAST ter dito	2. dizeres	2. dizerdes	**PAST** dito
	3. dizer	3. dizerem	

PRESENT	IMPERFECT	FUTURE
1.		
2.		
3. dói	doía	doerá
1.		
2.		
3. doem	doíam	doerão

PRETERITE	PERFECT	PLUPERFECT
1.		
2.		
3. doeu	tem doído	doera
1.		
2.		
3. doeram	têm doído	doeram

PLUPERFECT (COMPOUND)	FUTURE PERFECT
tinha doído *etc*	terá doído *etc*

CONDITIONAL

PRESENT	PERFECT
1.	
2.	
3. doeria	teria doído
1.	
2.	
3. doeriam	teriam doído

SUBJUNCTIVE

PRESENT	IMPERFECT	FUTURE
1.		
2.		
3. doa	doesse	doer
1.		
2.		
3. doam	doessem	doerem

PERFECT	PLUPERFECT	FUTURE PERFECT
tenha doído *etc*	tivesse doído *etc*	tiver doído *etc*

INFINITIVE	PERSONAL INFINITIVE	PARTICIPLE
PRESENT doer		PRESENT doendo
PAST ter doído		PAST doído
	3. doer 3. doerem	

PRESENT	**IMPERFECT**	**FUTURE**
1. domino	dominava	dominarei
2. dominas	dominavas	dominarás
3. domina	dominava	dominará
1. dominamos	dominávamos	dominaremos
2. dominais	domináveis	dominareis
3. dominam	dominavam	dominarão

PRETERITE	**PERFECT**	**PLUPERFECT**
1. dominei	tenho dominado	dominara
2. dominaste	tens dominado	dominaras
3. dominou	tem dominado	dominara
1. dominámos	temos dominado	domináramos
2. dominastes	tendes dominado	domináreis
3. dominaram	têm dominado	dominaram

PLUPERFECT (COMPOUND)	**FUTURE PERFECT**
tinha dominado *etc*	terei dominado *etc*

CONDITIONAL

IMPERATIVE

PRESENT	**PERFECT**	
1. dominaria	teria dominado	
2. dominarias	terias dominado	domina
3. dominaria	teria dominado	domine
1. dominaríamos	teríamos dominado	dominemos
2. dominaríeis	teríeis dominado	dominai
3. dominariam	teriam dominado	dominem

SUBJUNCTIVE

PRESENT	**IMPERFECT**	**FUTURE**
1. domine	dominasse	dominar
2. domines	dominasses	dominares
3. domine	dominasse	dominar
1. dominemos	dominássemos	dominarmos
2. domineis	dominásseis	dominardes
3. dominem	dominassem	dominarem

PERFECT	**PLUPERFECT**	**FUTURE PERFECT**
tenha dominado *etc*	tivesse dominado *etc*	tiver dominado *etc*

INFINITIVE

PERSONAL INFINITIVE

PARTICIPLE

PRESENT dominar	1. dominar	1. dominarmos	**PRESENT** dominando
PAST ter dominado	2. dominares	2. dominardes	**PAST** dominado
	3. dominar	3. dominarem	

DORMIR
98 *to sleep*

PRESENT	IMPERFECT	FUTURE
1. durmo	dormia	dormirei
2. dormes	dormias	dormirás
3. dorme	dormia	dormirá
1. dormimos	dormíamos	dormiremos
2. dormis	dormíeis	dormireis
3. dormem	dormiam	dormirão

PRETERITE	PERFECT	PLUPERFECT
1. dormi	tenho dormido	dormira
2. dormiste	tens dormido	dormiras
3. dormiu	tem dormido	dormira
1. dormimos	temos dormido	dormíramos
2. dormistes	tendes dormido	dormíreis
3. dormiram	têm dormido	dormiram

PLUPERFECT (COMPOUND)		FUTURE PERFECT
tinha dormido *etc*		terei dormido *etc*

CONDITIONAL

IMPERATIVE

PRESENT	PERFECT	
1. dormiria	teria dormido	
2. dormirias	terias dormido	dorme
3. dormiria	teria dormido	durma
1. dormiríamos	teríamos dormido	durmamos
2. dormiríeis	teríeis dormido	dormi
3. dormiriam	teriam dormido	durmam

SUBJUNCTIVE

PRESENT	IMPERFECT	FUTURE
1. durma	dormisse	dormir
2. durmas	dormisses	dormires
3. durma	dormisse	dormir
1. durmamos	dormíssemos	dormirmos
2. durmais	dormísseis	dormirdes
3. durmam	dormissem	dormirem

PERFECT	PLUPERFECT	FUTURE PERFECT
tenha dormido *etc*	tivesse dormido *etc*	tiver dormido *etc*

INFINITIVE

PERSONAL INFINITIVE

PARTICIPLE

PRESENT dormir	1. dormir	1. dormirmos	PRESENT dormindo
PAST ter dormido	2. dormires	2. dormirdes	PAST dormido
	3. dormir	3. dormirem	

PRESENT	IMPERFECT	FUTURE
1. embriago	embriagava	embriagarei
2. embriagas	embriagavas	embriagarás
3. embriaga	embriagava	embriagará
1. embriagamos	embriagávamos	embriagaremos
2. embriagais	embriagáveis	embriagareis
3. embriagam	embriagavam	embriagarão

PRETERITE	PERFECT	PLUPERFECT
1. embriaguei	tenho embriagado	embriagara
2. embriagaste	tens embriagado	embriagaras
3. embriagou	tem embriagado	embriagara
1. embriagámos	temos embriagado	embriagáramos
2. embriagastes	tendes embriagado	embriagáreis
3. embriagaram	têm embriagado	embriagaram

PLUPERFECT (COMPOUND)
tinha embriagado *etc*

FUTURE PERFECT
terei embriagado *etc*

CONDITIONAL

IMPERATIVE

PRESENT	PERFECT	
1. embriagaria	teria embriagado	
2. embriagarias	terias embriagado	embriaga
3. embriagaria	teria embriagado	embriague
1. embriagaríamos	teríamos embriagado	embriaguemos
2. embriagaríeis	teríeis embriagado	embriagai
3. embriagariam	teriam embriagado	embriaguem

SUBJUNCTIVE

PRESENT	IMPERFECT	FUTURE
1. embriague	embriagasse	embriagar
2. embriagues	embriagasses	embriagares
3. embriague	embriagasse	embriagar
1. embriaguemos	embriagássemos	embriagarmos
2. embriagueis	embriagásseis	embriagardes
3. embriaguem	embriagassem	embriagarem

PERFECT	PLUPERFECT	FUTURE PERFECT
tenha embriagado *etc*	tivesse embriagado *etc*	tiver embriagado *etc*

INFINITIVE

PERSONAL INFINITIVE

PARTICIPLE

PRESENT embriagar

PAST ter embriagado

1. embriagar	1. embriagarmos
2. embriagares	2. embriagardes
3. embriagar	3. embriagarem

PRESENT embriagando

PAST embriagado

PRESENT	IMPERFECT	FUTURE
1. empresto	emprestava	emprestarei
2. emprestas	emprestavas	emprestarás
3. empresta	emprestava	emprestará
1. emprestamos	emprestávamos	emprestaremos
2. emprestais	emprestáveis	emprestareis
3. emprestam	emprestavam	emprestarão

PRETERITE	PERFECT	PLUPERFECT
1. emprestei	tenho emprestado	emprestara
2. emprestaste	tens emprestado	emprestaras
3. emprestou	tem emprestado	emprestara
1. emprestámos	temos emprestado	emprestáramos
2. emprestastes	tendes emprestado	emprestáreis
3. emprestaram	têm emprestado	emprestaram

PLUPERFECT (COMPOUND)	FUTURE PERFECT
tinha emprestado *etc*	terei emprestado *etc*

CONDITIONAL

IMPERATIVE

PRESENT	PERFECT	
1. emprestaria	teria emprestado	
2. emprestarias	terias emprestado	empresta
3. emprestaria	teria emprestado	empreste
1. emprestaríamos	teríamos emprestado	emprestemos
2. emprestaríeis	teríeis emprestado	emprestai
3. emprestariam	teriam emprestado	emprestem

SUBJUNCTIVE

PRESENT	IMPERFECT	FUTURE
1. empreste	emprestasse	emprestar
2. emprestes	emprestasses	emprestares
3. empreste	emprestasse	emprestar
1. emprestemos	emprestássemos	emprestarmos
2. empresteis	emprestásseis	emprestardes
3. emprestem	emprestassem	emprestarem

PERFECT	PLUPERFECT	FUTURE PERFECT
tenha emprestado *etc*	tivesse emprestado *etc*	tiver emprestado *etc*

INFINITIVE

PERSONAL INFINITIVE

PARTICIPLE

PRESENT emprestar

PAST ter emprestado

1. emprestar	1. emprestarmos
2. emprestares	2. emprestardes
3. emprestar	3. emprestarem

PRESENT emprestando

PAST emprestado

PRESENT	IMPERFECT	FUTURE
1. empurro	empurrava	empurrarei
2. empurras	empurravas	empurrarás
3. empurra	empurrava	empurrará
1. empurramos	empurrávamos	empurraremos
2. empurrais	empurráveis	empurrareis
3. empurram	empurravam	empurrarão

PRETERITE	PERFECT	PLUPERFECT
1. empurrei	tenho empurrado	empurrara
2. empurraste	tens empurrado	empurraras
3. empurrou	tem empurrado	empurrara
1. empurrámos	temos empurrado	empurráramos
2. empurrastes	tendes empurrado	empurráreis
3. empurraram	têm empurrado	empurraram

PLUPERFECT (COMPOUND)
tinha empurrado *etc*

FUTURE PERFECT
terei empurrado *etc*

CONDITIONAL

IMPERATIVE

PRESENT	PERFECT	
1. empurraria	teria empurrado	
2. empurrarias	terias empurrado	empurra
3. empurraria	teria empurrado	empurre
1. empurraríamos	teríamos empurrado	empurremos
2. empurraríeis	teríeis empurrado	empurrai
3. empurrariam	teriam empurrado	empurrem

SUBJUNCTIVE

PRESENT	IMPERFECT	FUTURE
1. empurre	empurrasse	empurrar
2. empurres	empurrasses	empurrares
3. empurre	empurrasse	empurrar
1. empurremos	empurrássemos	empurrarmos
2. empurreis	empurrásseis	empurrardes
3. empurrem	empurrassem	empurrarem

PERFECT	PLUPERFECT	FUTURE PERFECT
tenha empurrado *etc*	tivesse empurrado *etc*	tiver empurrado *etc*

INFINITIVE

PERSONAL INFINITIVE

PARTICIPLE

PRESENT empurrar

PAST ter empurrado

1. empurrar	1. empurrarmos
2. empurrares	2. empurrardes
3. empurrar	3. empurrarem

PRESENT empurrando

PAST empurrado

PRESENT	IMPERFECT	FUTURE
1. encendo	encendia	encenderei
2. encendes	encendias	encenderás
3. encende	encendia	encenderá
1. encendemos	encendíamos	encenderemos
2. encendeis	encendíeis	encendereis
3. encendem	encendiam	encenderão

PRETERITE	PERFECT	PLUPERFECT
1. encendi	tenho encendido	encendera
2. encendeste	tens encendido	encenderas
3. encendeu	tem encendido	encendera
1. encendemos	temos encendido	encendêramos
2. encendestes	tendes encendido	encendêreis
3. encenderam	têm encendido	encenderam

PLUPERFECT (COMPOUND)		FUTURE PERFECT
tinha encendido *etc*		terei encendido *etc*

CONDITIONAL

IMPERATIVE

PRESENT	PERFECT	
1. encenderia	teria encendido	
2. encenderias	terias encendido	encende
3. encenderia	teria encendido	encenda
1. encenderíamos	teríamos encendido	encendamos
2. encenderíeis	teríeis encendido	encendei
3. encenderiam	teriam encendido	encendam

SUBJUNCTIVE

PRESENT	IMPERFECT	FUTURE
1. encenda	encendesse	encender
2. encendas	encendesses	encenderes
3. encenda	encendesse	encender
1. encendamos	encendêssemos	encendermos
2. encendais	encendêsseis	encenderdes
3. encendam	encendessem	encenderem

PERFECT	PLUPERFECT	FUTURE PERFECT
tenha encendido *etc*	tivesse encendido *etc*	tiver encendido *etc*

INFINITIVE

PERSONAL INFINITIVE

PARTICIPLE

INFINITIVE	PERSONAL INFINITIVE		PARTICIPLE
PRESENT encender	1. encender	1. encendermos	**PRESENT** encendendo
PAST ter encendido	2. encenderes	2. encenderdes	**PAST** encendido
	3. encender	3. encenderem	

PRESENT
1. encho
2. enches
3. enche
1. enchemos
2. encheis
3. enchem

IMPERFECT
enchia
enchias
enchia
enchíamos
enchíeis
enchiam

FUTURE
encherei
encherás
encherá
encheremos
enchereis
encherão

PRETERITE
1. enchi
2. encheste
3. encheu
1. enchemos
2. enchestes
3. encheram

PERFECT
tenho enchido
tens enchido
tem enchido
temos enchido
tendes enchido
têm enchido

PLUPERFECT
enchera
encheras
enchera
enchêramos
enchêreis
encheram

PLUPERFECT (COMPOUND)
tinha enchido *etc*

FUTURE PERFECT
terei enchido *etc*

CONDITIONAL

PRESENT
1. encheria
2. encherias
3. encheria
1. encheríamos
2. encheríeis
3. encheriam

PERFECT
teria enchido
terias enchido
teria enchido
teríamos enchido
teríeis enchido
teriam enchido

IMPERATIVE

enche
encha
enchamos
enchei
encham

SUBJUNCTIVE

PRESENT
1. encha
2. enchas
3. encha
1. enchamos
2. enchais
3. encham

IMPERFECT
enchesse
enchesses
enchesse
enchêssemos
enchêsseis
enchessem

FUTURE
encher
encheres
encher
enchermos
encherdes
encherem

PERFECT
tenha enchido *etc*

PLUPERFECT
tivesse enchido *etc*

FUTURE PERFECT
tiver enchido *etc*

INFINITIVE

PRESENT encher
PAST ter enchido

PERSONAL INFINITIVE

1. encher
2. encheres
3. encher
1. enchermos
2. encherdes
3. encherem

PARTICIPLE

PRESENT enchendo
PAST enchido

ENCONTRAR
104 *to find; to meet*

PRESENT	IMPERFECT	FUTURE
1. encontro	encontrava	encontrarei
2. encontras	encontravas	encontrarás
3. encontra	encontrava	encontrará
1. encontramos	encontrávamos	encontraremos
2. encontrais	encontráveis	encontrareis
3. encontram	encontravam	encontrarão

PRETERITE	PERFECT	PLUPERFECT
1. encontrei	tenho encontrado	encontrara
2. encontraste	tens encontrado	encontraras
3. encontrou	tem encontrado	encontrara
1. encontrámos	temos encontrado	encontráramos
2. encontrastes	tendes encontrado	encontráreis
3. encontraram	têm encontrado	encontraram

PLUPERFECT (COMPOUND)	FUTURE PERFECT
tinha encontrado *etc*	terei encontrado *etc*

CONDITIONAL

PRESENT	PERFECT	IMPERATIVE
1. encontraria	teria encontrado	
2. encontrarias	terias encontrado	encontra
3. encontraria	teria encontrado	encontre
1. encontraríamos	teríamos encontrado	encontremos
2. encontraríeis	teríeis encontrado	encontrai
3. encontrariam	teriam encontrado	encontrem

SUBJUNCTIVE

PRESENT	IMPERFECT	FUTURE
1. encontre	encontrasse	encontrar
2. encontres	encontrasses	encontrares
3. encontre	encontrasse	encontrar
1. encontremos	encontrássemos	encontrarmos
2. encontreis	encontrásseis	encontrardes
3. encontrem	encontrassem	encontrarem

PERFECT	PLUPERFECT	FUTURE PERFECT
tenha encontrado *etc*	tivesse encontrado *etc*	tiver encontrado *etc*

INFINITIVE

PRESENT encontrar

PAST ter encontrado

PERSONAL INFINITIVE

1. encontrar	1. encontrarmos
2. encontrares	2. encontrardes
3. encontrar	3. encontrarem

PARTICIPLE

PRESENT encontrando

PAST encontrado

PRESENT	IMPERFECT	FUTURE
1. enfeito	enfeitava	enfeitarei
2. enfeitas	enfeitavas	enfeitarás
3. enfeita	enfeitava	enfeitará
1. enfeitamos	enfeitávamos	enfeitaremos
2. enfeitais	enfeitáveis	enfeitareis
3. enfeitam	enfeitavam	enfeitarão

PRETERITE	PERFECT	PLUPERFECT
1. enfeitei	tenho enfeitado	enfeitara
2. enfeitaste	tens enfeitado	enfeitaras
3. enfeitou	tem enfeitado	enfeitara
1. enfeitámos	temos enfeitado	enfeitáramos
2. enfeitastes	tendes enfeitado	enfeitáreis
3. enfeitaram	têm enfeitado	enfeitaram

PLUPERFECT (COMPOUND)	FUTURE PERFECT
tinha enfeitado *etc*	terei enfeitado *etc*

CONDITIONAL

IMPERATIVE

PRESENT	PERFECT	
1. enfeitaria	teria enfeitado	
2. enfeitarias	terias enfeitado	enfeita
3. enfeitaria	teria enfeitado	enfeite
1. enfeitaríamos	teríamos enfeitado	enfeitemos
2. enfeitaríeis	teríeis enfeitado	enfeitai
3. enfeitariam	teriam enfeitado	enfeitem

SUBJUNCTIVE

PRESENT	IMPERFECT	FUTURE
1. enfeite	enfeitasse	enfeitar
2. enfeites	enfeitasses	enfeitares
3. enfeite	enfeitasse	enfeitar
1. enfeitemos	enfeitássemos	enfeitarmos
2. enfeiteis	enfeitásseis	enfeitardes
3. enfeitem	enfeitassem	enfeitarem

PERFECT	PLUPERFECT	FUTURE PERFECT
tenha enfeitado *etc*	tivesse enfeitado *etc*	tiver enfeitado *etc*

INFINITIVE

PERSONAL INFINITIVE

PARTICIPLE

PRESENT enfeitar	1. enfeitar	1. enfeitarmos	**PRESENT** enfeitando
PAST ter enfeitado	2. enfeitares	2. enfeitardes	**PAST** enfeitado
	3. enfeitar	3. enfeitarem	

ENTENDER
106 *to understand*

PRESENT	IMPERFECT	FUTURE
1. entendo	entendia	entenderei
2. entendes	entendias	entenderás
3. entende	entendia	entenderá
1. entendemos	entendíamos	entenderemos
2. entendeis	entendíeis	entendereis
3. entendem	entendiam	entenderão

PRETERITE	PERFECT	PLUPERFECT
1. entendi	tenho entendido	entendera
2. entendeste	tens entendido	entenderas
3. entendeu	tem entendido	entendera
1. entendemos	temos entendido	entendêramos
2. entendestes	tendes entendido	entendêreis
3. entenderam	têm entendido	entenderam

PLUPERFECT (COMPOUND)
tinha entendido *etc*

FUTURE PERFECT
terei entendido *etc*

CONDITIONAL

IMPERATIVE

PRESENT	PERFECT	
1. entenderia	teria entendido	
2. entenderias	terias entendido	
3. entenderia	teria entendido	entende
1. entenderíamos	teríamos entendido	entenda
2. entenderíeis	teríeis entendido	entendamos
3. entenderiam	teriam entendido	entendei
		entendam

SUBJUNCTIVE

PRESENT	IMPERFECT	FUTURE
1. entenda	entendesse	entender
2. entendas	entendesses	entenderes
3. entenda	entendesse	entender
1. entendamos	entendêssemos	entendermos
2. entendais	entendêsseis	entenderdes
3. entendam	entendessem	entenderem

PERFECT	PLUPERFECT	FUTURE PERFECT
tenha entendido *etc*	tivesse entendido *etc*	tiver entendido *etc*

INFINITIVE

PERSONAL INFINITIVE

PARTICIPLE

PRESENT entender

PAST ter entendido

1. entender	1. entendermos
2. entenderes	2. entenderdes
3. entender	3. entenderem

PRESENT entendendo

PAST entendido

PRESENT	IMPERFECT	FUTURE
1. entro	entrava	entrarei
2. entras	entravas	entrarás
3. entra	entrava	entrará
1. entramos	entrávamos	entraremos
2. entrais	entráveis	entrareis
3. entram	entravam	entrarão

PRETERITE	PERFECT	PLUPERFECT
1. entrei	tenho entrado	entrara
2. entraste	tens entrado	entraras
3. entrou	tem entrado	entrara
1. entrámos	temos entrado	entráramos
2. entrastes	tendes entrado	entráreis
3. entraram	têm entrado	entraram

PLUPERFECT (COMPOUND)		FUTURE PERFECT
tinha entrado *etc*		terei entrado *etc*

CONDITIONAL

IMPERATIVE

PRESENT	PERFECT	
1. entraria	teria entrado	
2. entrarias	terias entrado	entra
3. entraria	teria entrado	entre
1. entraríamos	teríamos entrado	entremos
2. entraríeis	teríeis entrado	entrai
3. entrariam	teriam entrado	entrem

SUBJUNCTIVE

PRESENT	IMPERFECT	FUTURE
1. entre	entrasse	entrar
2. entres	entrasses	entrares
3. entre	entrasse	entrar
1. entremos	entrássemos	entrarmos
2. entreis	entrásseis	entrardes
3. entrem	entrassem	entrarem

PERFECT	PLUPERFECT	FUTURE PERFECT
tenha entrado *etc*	tivesse entrado *etc*	tiver entrado *etc*

INFINITIVE

PERSONAL INFINITIVE

PARTICIPLE

PRESENT entrar	1. entrar	1. entrarmos	PRESENT entrando
PAST ter entrado	2. entrares	2. entrardes	PAST entrado
	3. entrar	3. entrarem	

ENTREGAR
108 *to deliver, to hand over*

PRESENT	IMPERFECT	FUTURE
1. entrego	entregava	entregarei
2. entregas	entregavas	entregarás
3. entrega	entregava	entregará
1. entregamos	entregávamos	entregaremos
2. entregais	entregáveis	entregareis
3. entregam	entregavam	entregarão

PRETERITE	PERFECT	PLUPERFECT
1. entreguei	tenho entregado	entregara
2. entregaste	tens entregado	entregaras
3. entregou	tem entregado	entregara
1. entregámos	temos entregado	entregáramos
2. entregastes	tendes entregado	entregáreis
3. entregaram	têm entregado	entregaram

PLUPERFECT (COMPOUND)		FUTURE PERFECT
tinha entregado *etc*		terei entregado *etc*

CONDITIONAL

PRESENT	PERFECT
1. entregaria	teria entregado
2. entregarias	terias entregado
3. entregaria	teria entregado
1. entregaríamos	teríamos entregado
2. entregaríeis	teríeis entregado
3. entregariam	teriam entregado

IMPERATIVE

entrega
entregue
entreguemos
entregai
entreguem

SUBJUNCTIVE

PRESENT	IMPERFECT	FUTURE
1. entregue	entregasse	entregar
2. entregues	entregasses	entregares
3. entregue	entregasse	entregar
1. entreguemos	entregássemos	entregarmos
2. entregueis	entregásseis	entregardes
3. entreguem	entregassem	entregarem

PERFECT	PLUPERFECT	FUTURE PERFECT
tenha entregado *etc*	tivesse entregado *etc*	tiver entregado *etc*

INFINITIVE

PRESENT entregar

PAST ter entregado

PERSONAL INFINITIVE

1. entregar	1. entregarmos
2. entregares	2. entregardes
3. entregar	3. entregarem

PARTICIPLE

PRESENT entregando

PAST entregado/entregue

134

PRESENT	IMPERFECT	FUTURE
1. entristeço	entristecia	entristecerei
2. entristeces	entristecias	entristecerás
3. entristece	entristecia	entristecerá
1. entristecemos	entristecíamos	entristeceremos
2. entristeceis	entristecíeis	entristecereis
3. entristecem	entristeciam	entristecerão

PRETERITE	PERFECT	PLUPERFECT
1. entristeci	tenho entristecido	entristecera
2. entristeceste	tens entristecido	entristeceras
3. entristeceu	tem entristecido	entristecera
1. entristecemos	temos entristecido	entristecêramos
2. entristecestes	tendes entristecido	entristecêreis
3. entristeceram	têm entristecido	entristeceram

PLUPERFECT (COMPOUND)		FUTURE PERFECT
tinha entristecido *etc*		terei entristecido *etc*

CONDITIONAL

IMPERATIVE

PRESENT	PERFECT	
1. entristeceria	teria entristecido	
2. entristecerias	terias entristecido	entristece
3. entristeceria	teria entristecido	entristeça
1. entristeceríamos	teríamos entristecido	entristeçamos
2. entristeceríeis	teríeis entristecido	entristecei
3. entristeceriam	teriam entristecido	entristeçam

SUBJUNCTIVE

PRESENT	IMPERFECT	FUTURE
1. entristeça	entristecesse	entristecer
2. entristeças	entristecesses	entristeceres
3. entristeça	entristecesse	entristecer
1. entristeçamos	entristecêssemos	entristecermos
2. entristeçais	entristecêsseis	entristecerdes
3. entristeçam	entristecessem	entristecerem

PERFECT	PLUPERFECT	FUTURE PERFECT
tenha entristecido *etc*	tivesse entristecido *etc*	tiver entristecido *etc*

INFINITIVE

PERSONAL INFINITIVE

PARTICIPLE

PRESENT entristecer	1. entristecer	1. entristecermos	**PRESENT** entristecendo
PAST ter entristecido	2. entristeceres	2. entristecerdes	**PAST** entristecido
	3. entristecer	3. entristecerem	

PRESENT	IMPERFECT	FUTURE
1. envio	enviava	enviarei
2. envias	enviavas	enviarás
3. envia	enviava	enviará
1. enviamos	enviávamos	enviaremos
2. enviais	enviáveis	enviareis
3. enviam	enviavam	enviarão

PRETERITE	PERFECT	PLUPERFECT
1. enviei	tenho enviado	enviara
2. enviaste	tens enviado	enviaras
3. enviou	tem enviado	enviara
1. enviámos	temos enviado	enviáramos
2. enviastes	tendes enviado	enviáreis
3. enviaram	têm enviado	enviaram

PLUPERFECT (COMPOUND)		FUTURE PERFECT
tinha enviado *etc*		terei enviado *etc*

CONDITIONAL

IMPERATIVE

PRESENT	PERFECT	
1. enviaria	teria enviado	
2. enviarias	terias enviado	envia
3. enviaria	teria enviado	envie
1. enviaríamos	teríamos enviado	enviemos
2. enviaríeis	teríeis enviado	enviai
3. enviariam	teriam enviado	enviem

SUBJUNCTIVE

PRESENT	IMPERFECT	FUTURE
1. envie	enviasse	enviar
2. envies	enviasses	enviares
3. envie	enviasse	enviar
1. enviemos	enviássemos	enviarmos
2. envieis	enviásseis	enviardes
3. enviem	enviassem	enviarem

PERFECT	PLUPERFECT	FUTURE PERFECT
tenha enviado *etc*	tivesse enviado *etc*	tiver enviado *etc*

INFINITIVE

PERSONAL INFINITIVE

PARTICIPLE

INFINITIVE	PERSONAL INFINITIVE		PARTICIPLE
PRESENT enviar	1. enviar	1. enviarmos	PRESENT enviando
PAST ter enviado	2. enviares	2. enviardes	PAST enviado
	3. enviar	3. enviarem	

PRESENT
1. escolho
2. escolhes
3. escolhe
1. escolhemos
2. escolheis
3. escolhem

IMPERFECT
escolhia
escolhias
escolhia
escolhíamos
escolhíeis
escolhiam

FUTURE
escolherei
escolherás
escolherá
escolheremos
escolhereis
escolherão

PRETERITE
1. escolhi
2. escolheste
3. escolheu
1. escolhemos
2. escolhestes
3. escolheram

PERFECT
tenho escolhido
tens escolhido
tem escolhido
temos escolhido
tendes escolhido
têm escolhido

PLUPERFECT
escolhera
escolheras
escolhera
escolhêramos
escolhêreis
escolheram

PLUPERFECT (COMPOUND)
tinha escolhido *etc*

FUTURE PERFECT
terei escolhido *etc*

CONDITIONAL

PRESENT
1. escolheria
2. escolherias
3. escolheria
1. escolheríamos
2. escolheríeis
3. escolheriam

PERFECT
teria escolhido
terias escolhido
teria escolhido
teríamos escolhido
teríeis escolhido
teriam escolhido

IMPERATIVE

escolhe
escolha
escolhamos
escolhei
escolham

SUBJUNCTIVE

PRESENT
1. escolha
2. escolhas
3. escolha
1. escolhamos
2. escolhais
3. escolham

IMPERFECT
escolhesse
escolhesses
escolhesse
escolhêssemos
escolhêsseis
escolhessem

FUTURE
escolher
escolheres
escolher
escolhermos
escolherdes
escolherem

PERFECT
tenha escolhido *etc*

PLUPERFECT
tivesse escolhido *etc*

FUTURE PERFECT
tiver escolhido *etc*

INFINITIVE

PRESENT escolher
PAST ter escolhido

PERSONAL INFINITIVE

1. escolher
2. escolheres
3. escolher

1. escolhermos
2. escolherdes
3. escolherem

PARTICIPLE

PRESENT escolhendo
PAST escolhido

ESCONDER
112 _to hide_

PRESENT	**IMPERFECT**	**FUTURE**
1. escondo	escondia	esconderei
2. escondes	escondias	esconderás
3. esconde	escondia	esconderá
1. escondemos	escondíamos	esconderemos
2. escondeis	escondíeis	escondereis
3. escondem	escondiam	esconderão

PRETERITE	**PERFECT**	**PLUPERFECT**
1. escondi	tenho escondido	escondera
2. escondeste	tens escondido	esconderas
3. escondeu	tem escondido	escondera
1. escondemos	temos escondido	escondêramos
2. escondestes	tendes escondido	escondêreis
3. esconderam	têm escondido	esconderam

PLUPERFECT (COMPOUND)
tinha escondido _etc_

FUTURE PERFECT
terei escondido _etc_

CONDITIONAL

PRESENT	**PERFECT**
1. esconderia	teria escondido
2. esconderias	terias escondido
3. esconderia	teria escondido
1. esconderíamos	teríamos escondido
2. esconderíeis	teríeis escondido
3. esconderiam	teriam escondido

IMPERATIVE

esconde
esconda
escondamos
escondei
escondam

SUBJUNCTIVE

PRESENT	**IMPERFECT**	**FUTURE**
1. esconda	escondesse	esconder
2. escondas	escondesses	esconderes
3. esconda	escondesse	esconder
1. escondamos	escondêssemos	escondermos
2. escondais	escondêsseis	esconderdes
3. escondam	escondessem	esconderem

PERFECT	**PLUPERFECT**	**FUTURE PERFECT**
tenha escondido _etc_	tivesse escondido _etc_	tiver escondido _etc_

INFINITIVE

PRESENT esconder
PAST ter escondido

PERSONAL INFINITIVE

1. esconder	1. escondermos
2. esconderes	2. esconderdes
3. esconder	3. esconderem

PARTICIPLE

PRESENT escondendo
PAST escondido

PRESENT	**IMPERFECT**	**FUTURE**
1. escrevo	escrevia	escreverei
2. escreves	escrevias	escreverás
3. escreve	escrevia	escreverá
1. escrevemos	escrevíamos	escreveremos
2. escreveis	escrevíeis	escrevereis
3. escrevem	escreviam	escreverão

PRETERITE	**PERFECT**	**PLUPERFECT**
1. escrevi	tenho escrito	escrevera
2. escreveste	tens escrito	escreveras
3. escreveu	tem escrito	escrevera
1. escrevemos	temos escrito	escrevêramos
2. escrevestes	tendes escrito	escrevêreis
3. escreveram	têm escrito	escreveram

PLUPERFECT (COMPOUND)	**FUTURE PERFECT**
tinha escrito *etc*	terei escrito *etc*

CONDITIONAL

IMPERATIVE

PRESENT	**PERFECT**	
1. escreveria	teria escrito	
2. escreverias	terias escrito	escreve
3. escreveria	teria escrito	escreva
1. escreveríamos	teríamos escrito	escrevamos
2. escreveríeis	teríeis escrito	escrevei
3. escreveriam	teriam escrito	escrevam

SUBJUNCTIVE

PRESENT	**IMPERFECT**	**FUTURE**
1. escreva	escrevesse	escrever
2. escrevas	escrevesses	escreveres
3. escreva	escrevesse	escrever
1. escrevamos	escrevêssemos	escrevermos
2. escrevais	escrevêsseis	escreverdes
3. escrevam	escrevessem	escreverem

PERFECT	**PLUPERFECT**	**FUTURE PERFECT**
tenha escrito *etc*	tivesse escrito *etc*	tiver escrito *etc*

INFINITIVE

PERSONAL INFINITIVE

PARTICIPLE

PRESENT escrever	1. escrever	1. escrevermos	**PRESENT** escrevendo
PAST ter escrito	2. escreveres	2. escreverdes	**PAST** escrito
	3. escrever	3. escreverem	

ESPERAR
114 *to wait (for); to hope (for)*

PRESENT	IMPERFECT	FUTURE
1. espero	esperava	esperarei
2. esperas	esperavas	esperarás
3. espera	esperava	esperará
1. esperamos	esperávamos	esperaremos
2. esperais	esperáveis	esperareis
3. esperam	esperavam	esperarão

PRETERITE	PERFECT	PLUPERFECT
1. esperei	tenho esperado	esperara
2. esperaste	tens esperado	esperaras
3. esperou	tem esperado	esperara
1. esperámos	temos esperado	esperáramos
2. esperastes	tendes esperado	esperáreis
3. esperaram	têm esperado	esperaram

PLUPERFECT (COMPOUND)	FUTURE PERFECT
tinha esperado *etc*	terei esperado *etc*

CONDITIONAL

IMPERATIVE

PRESENT	PERFECT	
1. esperaria	teria esperado	
2. esperarias	terias esperado	espera
3. esperaria	teria esperado	espere
1. esperaríamos	teríamos esperado	esperemos
2. esperaríeis	teríeis esperado	esperai
3. esperariam	teriam esperado	esperem

SUBJUNCTIVE

PRESENT	IMPERFECT	FUTURE
1. espere	esperasse	esperar
2. esperes	esperasses	esperares
3. espere	esperasse	esperar
1. esperemos	esperássemos	esperarmos
2. espereis	esperásseis	esperardes
3. esperem	esperassem	esperarem

PERFECT	PLUPERFECT	FUTURE PERFECT
tenha esperado *etc*	tivesse esperado *etc*	tiver esperado *etc*

INFINITIVE

PERSONAL INFINITIVE

PARTICIPLE

PRESENT esperar	1. esperar	1. esperarmos	**PRESENT** esperando
PAST ter esperado	2. esperares	2. esperardes	**PAST** esperado
	3. esperar	3. esperarem	

PRESENT
1. esqueço-me
2. esqueces-te
3. esquece-se
1. esquecemo-nos
2. esqueceis-vos
3. esquecem-se

IMPERFECT
esquecia-me
esquecias-te
esquecia-se
esquecíamo-nos
esquecíeis-vos
esqueciam-se

FUTURE
esquecer-me-ei
esquecer-te-ás
esquecer-se-á
esquecer-nos-emos
esquecer-vos-eis
esquecer-se-ão

PRETERITE
1. esqueci-me
2. esqueceste-te
3. esqueceu-se
1. esquecemo-nos
2. esquecestes-vos
3. esqueceram-se

PERFECT
tenho-me esquecido
tens-te esquecido
tem-se esquecido
temo-nos esquecido
tendes-vos esquecido
têm-se esquecido

PLUPERFECT
esquecera-me
esqueceras-te
esquecera-se
esquecêramo-nos
esquecêreis-vos
esqueceram-se

PLUPERFECT (COMPOUND)
tinha-me esquecido *etc*

FUTURE PERFECT
ter-me-ei esquecido *etc*

CONDITIONAL

PRESENT
1. esquecer-me-ia
2. esquecer-te-ias
3. esquecer-se-ia
1. esquecer-nos-íamos
2. esquecer-vos-íeis
3. esquecer-se-iam

PERFECT
ter-me-ia esquecido
ter-te-ias esquecido
ter-se-ia esquecido
ter-nos-íamos esquecido
ter-vos-íeis esquecido
ter-se-iam esquecido

IMPERATIVE

esquece-te
esqueça-se
esqueçamo-nos
esquecei-vos
esqueçam-se

SUBJUNCTIVE

PRESENT
1. me esqueça
2. te esqueças
3. se esqueça
1. nos esqueçamos
2. vos esqueçais
3. se esqueçam

IMPERFECT
me esquecesse
te esquecesses
se esquecesse
nos esquecêssemos
vos esquecêsseis
se esquecessem

FUTURE
me esquecer
te esqueceres
se esquecer
nos esquecermos
vos esquecerdes
se esquecerem

PERFECT
me tenha esquecido *etc*

PLUPERFECT
me tivesse esquecido *etc*

FUTURE PERFECT
me tiver esquecido *etc*

INFINITIVE

PRESENT esquecer-se
PAST ter-se esquecido

PERSONAL INFINITIVE

1. me esquecer
2. te esqueceres
3. se esquecer
1. nos esquecermos
2. vos esquecerdes
3. se esquecerem

PARTICIPLE

PRESENT esquecendo-se
PAST esquecido

PRESENT	IMPERFECT	FUTURE
1. estou	estava	estarei
2. estás	estavas	estarás
3. está	estava	estará
1. estamos	estávamos	estaremos
2. estais	estáveis	estareis
3. estão	estavam	estarão

PRETERITE	PERFECT	PLUPERFECT
1. estive	tenho estado	estivera
2. estiveste	tens estado	estiveras
3. esteve	tem estado	estivera
1. estivemos	temos estado	estivéramos
2. estivestes	tendes estado	estivéreis
3. estiveram	têm estado	estiveram

PLUPERFECT (COMPOUND)	FUTURE PERFECT
tinha estado _etc_	terei estado _etc_

CONDITIONAL

IMPERATIVE

PRESENT	PERFECT	
1. estaria	teria estado	
2. estarias	terias estado	está
3. estaria	teria estado	esteja
1. estaríamos	teríamos estado	estejamos
2. estaríeis	teríeis estado	estai
3. estariam	teriam estado	estejam

SUBJUNCTIVE

PRESENT	IMPERFECT	FUTURE
1. esteja	estivesse	estiver
2. estejas	estivesses	estiveres
3. esteja	estivesse	estiver
1. estejamos	estivéssemos	estivermos
2. estejais	estivésseis	estiverdes
3. estejam	estivessem	estiverem

PERFECT	PLUPERFECT	FUTURE PERFECT
tenha estado _etc_	tivesse estado _etc_	tiver estado _etc_

INFINITIVE

PERSONAL INFINITIVE

PARTICIPLE

INFINITIVE	PERSONAL INFINITIVE		PARTICIPLE
PRESENT estar	1. estar	1. estarmos	PRESENT estando
PAST ter estado	2. estares	2. estardes	PAST estado
	3. estar	3. estarem	

PRESENT	**IMPERFECT**	**FUTURE**
1. explico	explicava	explicarei
2. explicas	explicavas	explicarás
3. explica	explicava	explicará
1. explicamos	explicávamos	explicaremos
2. explicais	explicáveis	explicareis
3. explicam	explicavam	explicarão

PRETERITE	**PERFECT**	**PLUPERFECT**
1. expliquei	tenho explicado	explicara
2. explicaste	tens explicado	explicaras
3. explicou	tem explicado	explicara
1. explicámos	temos explicado	explicáramos
2. explicastes	tendes explicado	explicáreis
3. explicaram	têm explicado	explicaram

PLUPERFECT (COMPOUND)	**FUTURE PERFECT**
tinha explicado *etc*	terei explicado *etc*

CONDITIONAL

IMPERATIVE

PRESENT	**PERFECT**	
1. explicaria	teria explicado	
2. explicarias	terias explicado	
3. explicaria	teria explicado	explica
1. explicaríamos	teríamos explicado	explique
2. explicaríeis	teríeis explicado	expliquemos
3. explicariam	teriam explicado	explicai
		expliquem

SUBJUNCTIVE

PRESENT	**IMPERFECT**	**FUTURE**
1. explique	explicasse	explicar
2. expliques	explicasses	explicares
3. explique	explicasse	explicar
1. expliquemos	explicássemos	explicarmos
2. expliqueis	explicásseis	explicardes
3. expliquem	explicassem	explicarem

PERFECT	**PLUPERFECT**	**FUTURE PERFECT**
tenha explicado *etc*	tivesse explicado *etc*	tiver explicado *etc*

INFINITIVE

PERSONAL INFINITIVE

PARTICIPLE

PRESENT explicar	1. explicar	1. explicarmos	**PRESENT** explicando
PAST ter explicado	2. explicares	2. explicardes	**PAST** explicado
	3. explicar	3. explicarem	

FALTAR
118 *to lack; to be missing*

PRESENT	IMPERFECT	FUTURE
1. falto	faltava	faltarei
2. faltas	faltavas	faltarás
3. falta	faltava	faltará
1. faltamos	faltávamos	faltaremos
2. faltais	faltáveis	faltareis
3. faltam	faltavam	faltarão

PRETERITE	PERFECT	PLUPERFECT
1. faltei	tenho faltado	faltara
2. faltaste	tens faltado	faltaras
3. faltou	tem faltado	faltara
1. faltámos	temos faltado	faltáramos
2. faltastes	tendes faltado	faltáreis
3. faltaram	têm faltado	faltaram

PLUPERFECT (COMPOUND)	FUTURE PERFECT
tinha faltado *etc*	terei faltado *etc*

CONDITIONAL

IMPERATIVE

PRESENT	PERFECT	
1. faltaria	teria faltado	
2. faltarias	terias faltado	falta
3. faltaria	teria faltado	falte
1. faltaríamos	teríamos faltado	faltemos
2. faltaríeis	teríeis faltado	faltai
3. faltariam	teriam faltado	faltem

SUBJUNCTIVE

PRESENT	IMPERFECT	FUTURE
1. falte	faltasse	faltar
2. faltes	faltasses	faltares
3. falte	faltasse	faltar
1. faltemos	faltássemos	faltarmos
2. falteis	faltásseis	faltardes
3. faltem	faltassem	faltarem

PERFECT	PLUPERFECT	FUTURE PERFECT
tenha faltado *etc*	tivesse faltado *etc*	tiver faltado *etc*

INFINITIVE

PERSONAL INFINITIVE

PARTICIPLE

PRESENT faltar	1. faltar	1. faltarmos	**PRESENT** faltando
PAST ter faltado	2. faltares	2. faltardes	**PAST** faltado
	3. faltar	3. faltarem	

PRESENT	IMPERFECT	FUTURE
1. faço	fazia	farei
2. fazes	fazias	farás
3. faz	fazia	fará
1. fazemos	fazíamos	faremos
2. fazeis	fazíeis	fareis
3. fazem	faziam	farão

PRETERITE	PERFECT	PLUPERFECT
1. fiz	tenho feito	fizera
2. fizeste	tens feito	fizeras
3. fez	tem feito	fizera
1. fizemos	temos feito	fizéramos
2. fizestes	tendes feito	fizéreis
3. fizeram	têm feito	fizeram

PLUPERFECT (COMPOUND)
tinha feito *etc*

FUTURE PERFECT
terei feito *etc*

CONDITIONAL

IMPERATIVE

PRESENT	PERFECT	
1. faria	teria feito	
2. farias	terias feito	
3. faria	teria feito	faz
1. faríamos	teríamos feito	faça
2. faríeis	teríeis feito	façamos
3. fariam	teriam feito	fazei
		façam

SUBJUNCTIVE

PRESENT	IMPERFECT	FUTURE
1. faça	fizesse	fizer
2. faças	fizesses	fizeres
3. faça	fizesse	fizer
1. façamos	fizéssemos	fizermos
2. façais	fizésseis	fizerdes
3. façam	fizessem	fizerem

PERFECT	PLUPERFECT	FUTURE PERFECT
tenha feito *etc*	tivesse feito *etc*	tiver feito *etc*

INFINITIVE

PRESENT fazer

PAST ter feito

PERSONAL INFINITIVE

1. fazer	1. fazermos
2. fazeres	2. fazerdes
3. fazer	3. fazerem

PARTICIPLE

PRESENT fazendo

PAST feito

FECHAR
120 *to close*

PRESENT	IMPERFECT	FUTURE
1. fecho	fechava	fecharei
2. fechas	fechavas	fecharás
3. fecha	fechava	fechará
1. fechamos	fechávamos	fecharemos
2. fechais	fecháveis	fechareis
3. fecham	fechavam	fecharão

PRETERITE	PERFECT	PLUPERFECT
1. fechei	tenho fechado	fechara
2. fechaste	tens fechado	fecharas
3. fechou	tem fechado	fechara
1. fechámos	temos fechado	fecháramos
2. fechastes	tendes fechado	fecháreis
3. fecharam	têm fechado	fecharam

PLUPERFECT (COMPOUND)	FUTURE PERFECT
tinha fechado *etc*	terei fechado *etc*

CONDITIONAL

IMPERATIVE

PRESENT	PERFECT	
1. fecharia	teria fechado	
2. fecharias	terias fechado	fecha
3. fecharia	teria fechado	feche
1. fecharíamos	teríamos fechado	fechemos
2. fecharíeis	teríeis fechado	fechai
3. fechariam	teriam fechado	fechem

SUBJUNCTIVE

PRESENT	IMPERFECT	FUTURE
1. feche	fechasse	fechar
2. feches	fechasses	fechares
3. feche	fechasse	fechar
1. fechemos	fechássemos	fecharmos
2. fecheis	fechásseis	fechardes
3. fechem	fechassem	fecharem

PERFECT	PLUPERFECT	FUTURE PERFECT
tenha fechado *etc*	tivesse fechado *etc*	tiver fechado *etc*

INFINITIVE

PERSONAL INFINITIVE

PARTICIPLE

INFINITIVE	PERSONAL INFINITIVE		PARTICIPLE
PRESENT fechar	1. fechar	1. fecharmos	PRESENT fechando
PAST ter fechado	2. fechares	2. fechardes	PAST fechado
	3. fechar	3. fecharem	

PRESENT	IMPERFECT	FUTURE
1. firo	feria	ferirei
2. feres	ferias	ferirás
3. fere	feria	ferirá
1. ferimos	feríamos	feriremos
2. feris	feríeis	ferireis
3. ferem	feriam	ferirão

PRETERITE	PERFECT	PLUPERFECT
1. feri	tenho ferido	ferira
2. feriste	tens ferido	feriras
3. feriu	tem ferido	ferira
1. ferimos	temos ferido	feríramos
2. feristes	tendes ferido	feríreis
3. feriram	têm ferido	feriram

PLUPERFECT (COMPOUND)		FUTURE PERFECT
tinha ferido *etc*		terei ferido *etc*

CONDITIONAL

IMPERATIVE

PRESENT	PERFECT	
1. feriria	teria ferido	
2. feririas	terias ferido	fere
3. feriria	teria ferido	fira
1. feriríamos	teríamos ferido	firamos
2. feriríeis	teríeis ferido	feri
3. feririam	teriam ferido	firam

SUBJUNCTIVE

PRESENT	IMPERFECT	FUTURE
1. fira	ferisse	ferir
2. firas	ferisses	ferires
3. fira	ferisse	ferir
1. firamos	feríssemos	ferirmos
2. firais	ferísseis	ferirdes
3. firam	ferissem	ferirem

PERFECT	PLUPERFECT	FUTURE PERFECT
tenha ferido *etc*	tivesse ferido *etc*	tiver ferido *etc*

INFINITIVE

PERSONAL INFINITIVE

PARTICIPLE

PRESENT ferir	1. ferir	1. ferirmos	PRESENT ferindo
PAST ter ferido	2. ferires	2. ferirdes	PAST ferido
	3. ferir	3. ferirem	

FICAR

122 *to stay, to remain; to be; to become*

PRESENT	IMPERFECT	FUTURE
1. fico	ficava	ficarei
2. ficas	ficavas	ficarás
3. fica	ficava	ficará
1. ficamos	ficávamos	ficaremos
2. ficais	ficáveis	ficareis
3. ficam	ficavam	ficarão

PRETERITE	PERFECT	PLUPERFECT
1. fiquei	tenho ficado	ficara
2. ficaste	tens ficado	ficaras
3. ficou	tem ficado	ficara
1. ficámos	temos ficado	ficáramos
2. ficastes	tendes ficado	ficáreis
3. ficaram	têm ficado	ficaram

PLUPERFECT (COMPOUND)	FUTURE PERFECT
tinha ficado *etc*	terei ficado *etc*

CONDITIONAL

PRESENT	PERFECT	IMPERATIVE
1. ficaria	teria ficado	
2. ficarias	terias ficado	fica
3. ficaria	teria ficado	fique
1. ficaríamos	teríamos ficado	fiquemos
2. ficaríeis	teríeis ficado	ficai
3. ficariam	teriam ficado	fiquem

SUBJUNCTIVE

PRESENT	IMPERFECT	FUTURE
1. fique	ficasse	ficar
2. fiques	ficasses	ficares
3. fique	ficasse	ficar
1. fiquemos	ficássemos	ficarmos
2. fiqueis	ficásseis	ficardes
3. fiquem	ficassem	ficarem

PERFECT	PLUPERFECT	FUTURE PERFECT
tenha ficado *etc*	tivesse ficado *etc*	tiver ficado *etc*

INFINITIVE

PRESENT ficar
PAST ter ficado

PERSONAL INFINITIVE

1. ficar	1. ficarmos
2. ficares	2. ficardes
3. ficar	3. ficarem

PARTICIPLE

PRESENT ficando
PAST ficado

PRESENT	IMPERFECT	FUTURE
1. fujo	fugia	fugirei
2. foges	fugias	fugirás
3. foge	fugia	fugirá
1. fugimos	fugíamos	fugiremos
2. fugis	fugíeis	fugireis
3. fogem	fugiam	fugirão

PRETERITE	PERFECT	PLUPERFECT
1. fugi	tenho fugido	fugira
2. fugiste	tens fugido	fugiras
3. fugiu	tem fugido	fugira
1. fugimos	temos fugido	fugíramos
2. fugistes	tendes fugido	fugíreis
3. fugiram	têm fugido	fugiram

PLUPERFECT (COMPOUND)		FUTURE PERFECT
tinha fugido *etc*		terei fugido *etc*

CONDITIONAL

IMPERATIVE

PRESENT	PERFECT	
1. fugiria	teria fugido	
2. fugirias	terias fugido	foge
3. fugiria	teria fugido	fuja
1. fugiríamos	teríamos fugido	fujamos
2. fugiríeis	teríeis fugido	fugi
3. fugiriam	teriam fugido	fujam

SUBJUNCTIVE

PRESENT	IMPERFECT	FUTURE
1. fuja	fugisse	fugir
2. fujas	fugisses	fugires
3. fuja	fugisse	fugir
1. fujamos	fugíssemos	fugirmos
2. fujais	fugísseis	fugirdes
3. fujam	fugissem	fugirem

PERFECT	PLUPERFECT	FUTURE PERFECT
tenha fugido *etc*	tivesse fugido *etc*	tiver fugido *etc*

INFINITIVE

PERSONAL INFINITIVE

PARTICIPLE

PRESENT fugir	1. fugir	1. fugirmos	**PRESENT** fugindo
PAST ter fugido	2. fugires	2. fugirdes	**PAST** fugido
	3. fugir	3. fugirem	

PRESENT	**IMPERFECT**	**FUTURE**
1. fumo	fumava	fumarei
2. fumas	fumavas	fumarás
3. fuma	fumava	fumará
1. fumamos	fumávamos	fumaremos
2. fumais	fumáveis	fumareis
3. fumam	fumavam	fumarão

PRETERITE	**PERFECT**	**PLUPERFECT**
1. fumei	tenho fumado	fumara
2. fumaste	tens fumado	fumaras
3. fumou	tem fumado	fumara
1. fumámos	temos fumado	fumáramos
2. fumastes	tendes fumado	fumáreis
3. fumaram	têm fumado	fumaram

PLUPERFECT (COMPOUND)	**FUTURE PERFECT**
tinha fumado _etc_	terei fumado _etc_

CONDITIONAL

IMPERATIVE

PRESENT	**PERFECT**	
1. fumaria	teria fumado	
2. fumarias	terias fumado	fuma
3. fumaria	teria fumado	fume
1. fumaríamos	teríamos fumado	fumemos
2. fumaríeis	teríeis fumado	fumai
3. fumariam	teriam fumado	fumem

SUBJUNCTIVE

PRESENT	**IMPERFECT**	**FUTURE**
1. fume	fumasse	fumar
2. fumes	fumasses	fumares
3. fume	fumasse	fumar
1. fumemos	fumássemos	fumarmos
2. fumeis	fumásseis	fumardes
3. fumem	fumassem	fumarem

PERFECT	**PLUPERFECT**	**FUTURE PERFECT**
tenha fumado _etc_	tivesse fumado _etc_	tiver fumado _etc_

INFINITIVE

PERSONAL INFINITIVE

PARTICIPLE

PRESENT fumar	1. fumar	1. fumarmos	**PRESENT** fumando
PAST ter fumado	2. fumares	2. fumardes	**PAST** fumado
	3. fumar	3. fumarem	

PRESENT	IMPERFECT	FUTURE
1. gasto	gastava	gastarei
2. gastas	gastavas	gastarás
3. gasta	gastava	gastará
1. gastamos	gastávamos	gastaremos
2. gastais	gastáveis	gastareis
3. gastam	gastavam	gastarão

PRETERITE	PERFECT	PLUPERFECT
1. gastei	tenho gasto	gastara
2. gastaste	tens gasto	gastaras
3. gastou	tem gasto	gastara
1. gastámos	temos gasto	gastáramos
2. gastastes	tendes gasto	gastáreis
3. gastaram	têm gasto	gastaram

PLUPERFECT (COMPOUND)		FUTURE PERFECT
tinha gasto *etc*		terei gasto *etc*

CONDITIONAL

IMPERATIVE

PRESENT	PERFECT	
1. gastaria	teria gasto	
2. gastarias	terias gasto	gasta
3. gastaria	teria gasto	gaste
1. gastaríamos	teríamos gasto	gastemos
2. gastaríeis	teríeis gasto	gastai
3. gastariam	teriam gasto	gastem

SUBJUNCTIVE

PRESENT	IMPERFECT	FUTURE
1. gaste	gastasse	gastar
2. gastes	gastasses	gastares
3. gaste	gastasse	gastar
1. gastemos	gastássemos	gastarmos
2. gasteis	gastásseis	gastardes
3. gastem	gastassem	gastarem

PERFECT	PLUPERFECT	FUTURE PERFECT
tenha gasto *etc*	tivesse gasto *etc*	tiver gasto *etc*

INFINITIVE

PERSONAL INFINITIVE

PARTICIPLE

PRESENT gastar	1. gastar	1. gastarmos	PRESENT gastando
PAST ter gasto	2. gastares	2. gastardes	PAST gasto
	3. gastar	3. gastarem	

GELAR
126 *to freeze*

PRESENT	IMPERFECT	FUTURE
1. gelo	gelava	gelarei
2. gelas	gelavas	gelarás
3. gela	gelava	gelará
1. gelamos	gelávamos	gelaremos
2. gelais	geláveis	gelareis
3. gelam	gelavam	gelarão

PRETERITE	PERFECT	PLUPERFECT
1. gelei	tenho gelado	gelara
2. gelaste	tens gelado	gelaras
3. gelou	tem gelado	gelara
1. gelámos	temos gelado	geláramos
2. gelastes	tendes gelado	geláreis
3. gelaram	têm gelado	gelaram

PLUPERFECT (COMPOUND)	FUTURE PERFECT
tinha gelado *etc*	terei gelado *etc*

CONDITIONAL

IMPERATIVE

PRESENT	PERFECT	
1. gelaria	teria gelado	
2. gelarias	terias gelado	gela
3. gelaria	teria gelado	gele
1. gelaríamos	teríamos gelado	gelemos
2. gelaríeis	teríeis gelado	gelai
3. gelariam	teriam gelado	gelem

SUBJUNCTIVE

PRESENT	IMPERFECT	FUTURE
1. gele	gelasse	gelar
2. geles	gelasses	gelares
3. gele	gelasse	gelar
1. gelemos	gelássemos	gelarmos
2. geleis	gelásseis	gelardes
3. gelem	gelassem	gelarem

PERFECT	PLUPERFECT	FUTURE PERFECT
tenha gelado *etc*	tivesse gelado *etc*	tiver gelado *etc*

INFINITIVE	PERSONAL INFINITIVE		PARTICIPLE
PRESENT gelar	1. gelar	1. gelarmos	PRESENT gelando
PAST ter gelado	2. gelares	2. gelardes	PAST gelado
	3. gelar	3. gelarem	

PRESENT
1. gosto
2. gostas
3. gosta
1. gostamos
2. gostais
3. gostam

IMPERFECT
gostava
gostavas
gostava
gostávamos
gostáveis
gostavam

FUTURE
gostarei
gostarás
gostará
gostaremos
gostareis
gostarão

PRETERITE
1. gostei
2. gostaste
3. gostou
1. gostámos
2. gostastes
3. gostaram

PERFECT
tenho gostado
tens gostado
tem gostado
temos gostado
tendes gostado
têm gostado

PLUPERFECT
gostara
gostaras
gostara
gostáramos
gostáreis
gostaram

PLUPERFECT (COMPOUND)
tinha gostado *etc*

FUTURE PERFECT
terei gostado *etc*

CONDITIONAL

PRESENT
1. gostaria
2. gostarias
3. gostaria
1. gostaríamos
2. gostaríeis
3. gostariam

PERFECT
teria gostado
terias gostado
teria gostado
teríamos gostado
teríeis gostado
teriam gostado

IMPERATIVE

gosta
goste
gostemos
gostai
gostem

SUBJUNCTIVE

PRESENT
1. goste
2. gostes
3. goste
1. gostemos
2. gosteis
3. gostem

IMPERFECT
gostasse
gostasses
gostasse
gostássemos
gostásseis
gostassem

FUTURE
gostar
gostares
gostar
gostarmos
gostardes
gostarem

PERFECT
tenha gostado *etc*

PLUPERFECT
tivesse gostado *etc*

FUTURE PERFECT
tiver gostado *etc*

INFINITIVE

PRESENT gostar
PAST ter gostado

PERSONAL INFINITIVE

1. gostar
2. gostares
3. gostar
1. gostarmos
2. gostardes
3. gostarem

PARTICIPLE

PRESENT gostando
PAST gostado

PRESENT	**IMPERFECT**	**FUTURE**
1. habituo	habituava	habituarei
2. habituas	habituavas	habituarás
3. habitua	habituava	habituará
1. habituamos	habituávamos	habituaremos
2. habituais	habituáveis	habituareis
3. habituam	habituavam	habituarão

PRETERITE	**PERFECT**	**PLUPERFECT**
1. habituei	tenho habituado	habituara
2. habituaste	tens habituado	habituaras
3. habituou	tem habituado	habituara
1. habituámos	temos habituado	habituáramos
2. habituastes	tendes habituado	habituáreis
3. habituaram	têm habituado	habituaram

PLUPERFECT (COMPOUND)	**FUTURE PERFECT**
tinha habituado *etc*	terei habituado *etc*

CONDITIONAL

IMPERATIVE

PRESENT	**PERFECT**	
1. habituaria	teria habituado	
2. habituarias	terias habituado	habitua
3. habituaria	teria habituado	habitue
1. habituaríamos	teríamos habituado	habituemos
2. habituaríeis	teríeis habituado	habituai
3. habituariam	teriam habituado	habituem

SUBJUNCTIVE

PRESENT	**IMPERFECT**	**FUTURE**
1. habitue	habituasse	habituar
2. habitues	habituasses	habituares
3. habitue	habituasse	habituar
1. habituemos	habituássemos	habituarmos
2. habitueis	habituásseis	habituardes
3. habituem	habituassem	habituarem

PERFECT	**PLUPERFECT**	**FUTURE PERFECT**
tenha habituado *etc*	tivesse habituado *etc*	tiver habituado *etc*

INFINITIVE

PERSONAL INFINITIVE

PARTICIPLE

PRESENT habituar	1. habituar	1. habituarmos	**PRESENT** habituando
PAST ter habituado	2. habituares	2. habituardes	**PAST** habituado
	3. habituar	3. habituarem	

PRESENT	**IMPERFECT**	**FUTURE**
1. hei	havia	haverei
2. hás	havias	haverás
3. há	havia	haverá
1. havemos	havíamos	haveremos
2. haveis	havíeis	havereis
3. hão	haviam	haverão

PRETERITE	**PERFECT**	**PLUPERFECT**
1. houve	tenho havido	houvera
2. houveste	tens havido	houveras
3. houve	tem havido	houvera
1. houvemos	temos havido	houvéramos
2. houvestes	tendes havido	houvéreis
3. houveram	têm havido	houveram

PLUPERFECT (COMPOUND)
tinha havido *etc*

FUTURE PERFECT
terei havido *etc*

CONDITIONAL

IMPERATIVE

PRESENT	**PERFECT**	
1. haveria	teria havido	
2. haverias	terias havido	há
3. haveria	teria havido	haja
1. haveríamos	teríamos havido	hajamos
2. haveríeis	teríeis havido	havei
3. haveriam	teriam havido	hajam

SUBJUNCTIVE

PRESENT	**IMPERFECT**	**FUTURE**
1. haja	houvesse	houver
2. hajas	houvesses	houveres
3. haja	houvesse	houver
1. hajamos	houvéssemos	houvermos
2. hajais	houvésseis	houverdes
3. hajam	houvessem	houverem

PERFECT	**PLUPERFECT**	**FUTURE PERFECT**
tenha havido *etc*	tivesse havido *etc*	tiver havido *etc*

INFINITIVE

PERSONAL INFINITIVE

PARTICIPLE

PRESENT haver

PAST ter havido

1. haver	1. havermos
2. haveres	2. haverdes
3. haver	3. haverem

PRESENT havendo

PAST havido

INDICAR
130 *to indicate*

PRESENT	IMPERFECT	FUTURE
1. indico	indicava	indicarei
2. indicas	indicavas	indicarás
3. indica	indicava	indicará
1. indicamos	indicávamos	indicaremos
2. indicais	indicáveis	indicareis
3. indicam	indicavam	indicarão

PRETERITE	PERFECT	PLUPERFECT
1. indiquei	tenho indicado	indicara
2. indicaste	tens indicado	indicaras
3. indicou	tem indicado	indicara
1. indicámos	temos indicado	indicáramos
2. indicastes	tendes indicado	indicáreis
3. indicaram	têm indicado	indicaram

PLUPERFECT (COMPOUND)		FUTURE PERFECT
tinha indicado *etc*		terei indicado *etc*

CONDITIONAL

IMPERATIVE

PRESENT	PERFECT	
1. indicaria	teria indicado	
2. indicarias	terias indicado	indica
3. indicaria	teria indicado	indique
1. indicaríamos	teríamos indicado	indiquemos
2. indicaríeis	teríeis indicado	indicai
3. indicariam	teriam indicado	indiquem

SUBJUNCTIVE

PRESENT	IMPERFECT	FUTURE
1. indique	indicasse	indicar
2. indiques	indicasses	indicares
3. indique	indicasse	indicar
1. indiquemos	indicássemos	indicarmos
2. indiqueis	indicásseis	indicardes
3. indiquem	indicassem	indicarem

PERFECT	PLUPERFECT	FUTURE PERFECT
tenha indicado *etc*	tivesse indicado *etc*	tiver indicado *etc*

INFINITIVE

PERSONAL INFINITIVE

PARTICIPLE

PRESENT indicar	1. indicar	1. indicarmos
PAST ter indicado	2. indicares	2. indicardes
	3. indicar	3. indicarem

PRESENT indicando
PAST indicado

PRESENT
1. insisto
2. insistes
3. insiste
1. insistimos
2. insistis
3. insistem

IMPERFECT
insistia
insistias
insistia
insistíamos
insistíeis
insistiam

FUTURE
insistirei
insistirás
insistirá
insistiremos
insistireis
insistirão

PRETERITE
1. insisti
2. insististe
3. insistiu
1. insistimos
2. insististes
3. insistiram

PERFECT
tenho insistido
tens insistido
tem insistido
temos insistido
tendes insistido
têm insistido

PLUPERFECT
insistira
insistiras
insistira
insistíramos
insistíreis
insistiram

PLUPERFECT (COMPOUND)
tinha insistido *etc*

FUTURE PERFECT
terei insistido *etc*

CONDITIONAL

PRESENT
1. insistiria
2. insistirias
3. insistiria
1. insistiríamos
2. insistiríeis
3. insistiriam

PERFECT
teria insistido
terias insistido
teria insistido
teríamos insistido
teríeis insistido
teriam insistido

IMPERATIVE

insiste
insista
insistamos
insisti
insistam

SUBJUNCTIVE

PRESENT
1. insista
2. insistas
3. insista
1. insistamos
2. insistais
3. insistam

IMPERFECT
insistisse
insistisses
insistisse
insistíssemos
insistísseis
insistissem

FUTURE
insistir
insistires
insistir
insistirmos
insistirdes
insistirem

PERFECT
tenha insistido *etc*

PLUPERFECT
tivesse insistido *etc*

FUTURE PERFECT
tiver insistido *etc*

INFINITIVE

PRESENT insistir
PAST ter insistido

PERSONAL INFINITIVE

1. insistir
2. insistires
3. insistir

1. insistirmos
2. insistirdes
3. insistirem

PARTICIPLE

PRESENT insistindo
PAST insistido

PRESENT	IMPERFECT	FUTURE
1. vou	ia	irei
2. vais	ias	irás
3. vai	ia	irá
1. vamos	íamos	iremos
2. ides	íeis	ireis
3. vão	iam	irão

PRETERITE	PERFECT	PLUPERFECT
1. fui	tenho ido	fora
2. foste	tens ido	foras
3. foi	tem ido	fora
1. fomos	temos ido	fôramos
2. fostes	tendes ido	fôreis
3. foram	têm ido	foram

PLUPERFECT (COMPOUND)		FUTURE PERFECT
tinha ido *etc*		terei ido *etc*

CONDITIONAL		*IMPERATIVE*

PRESENT	PERFECT	
1. iria	teria ido	
2. irias	terias ido	vai
3. iria	teria ido	vá
1. iríamos	teríamos ido	vamos
2. iríeis	teríeis ido	ide
3. iriam	teriam ido	vão

SUBJUNCTIVE		

PRESENT	IMPERFECT	FUTURE
1. vá	fosse	for
2. vás	fosses	fores
3. vá	fosse	for
1. vamos	fôssemos	formos
2. vades	fôsseis	fordes
3. vão	fossem	forem

PERFECT	PLUPERFECT	FUTURE PERFECT
tenha ido *etc*	tivesse ido *etc*	tiver ido *etc*

INFINITIVE	*PERSONAL INFINITIVE*		*PARTICIPLE*
PRESENT ir	1. ir	1. irmos	**PRESENT** indo
PAST ter ido	2. ires	2. irdes	**PAST** ido
	3. ir	3. irem	

PRESENT	IMPERFECT	FUTURE
1.		
2.		
3. jaz	jazia	jazerá
1.		
2.		
3. jazem	jaziam	jazerão

PRETERITE	PERFECT	PLUPERFECT
1.		
2.		
3. jazeu	tem jazido	jazera
1.		
2.		
3. jazeram	têm jazido	jazeram

PLUPERFECT (COMPOUND)		FUTURE PERFECT
tinha jazido *etc*		terá jazido *etc*

CONDITIONAL

IMPERATIVE

PRESENT	PERFECT	
1.		
2.		
3. jazeria	teria jazido	jaz
1.		
2.		
3. jazeriam	teriam jazido	jazam

SUBJUNCTIVE

PRESENT	IMPERFECT	FUTURE
1.		
2.		
3. jaza	jazesse	jazer
1.		
2.		
3. jazam	jazessem	jazerem

PERFECT	PLUPERFECT	FUTURE PERFECT
tenha jazido *etc*	tivesse jazido *etc*	tiver jazido *etc*

INFINITIVE

PERSONAL INFINITIVE

PARTICIPLE

PRESENT jazer		PRESENT jazendo
PAST ter jazido		PAST jazido
	3. jazer 3. jazerem	

PRESENT	IMPERFECT	FUTURE
1. jogo	jogava	jogarei
2. jogas	jogavas	jogarás
3. joga	jogava	jogará
1. jogamos	jogávamos	jogaremos
2. jogais	jogáveis	jogareis
3. jogam	jogavam	jogarão

PRETERITE	PERFECT	PLUPERFECT
1. joguei	tenho jogado	jogara
2. jogaste	tens jogado	jogaras
3. jogou	tem jogado	jogara
1. jogámos	temos jogado	jogáramos
2. jogastes	tendes jogado	jogáreis
3. jogaram	têm jogado	jogaram

PLUPERFECT (COMPOUND)
tinha jogado *etc*

FUTURE PERFECT
terei jogado *etc*

CONDITIONAL

IMPERATIVE

PRESENT	PERFECT	
1. jogaria	teria jogado	
2. jogarias	terias jogado	
3. jogaria	teria jogado	joga
1. jogaríamos	teríamos jogado	jogue
2. jogaríeis	teríeis jogado	joguemos
3. jogariam	teriam jogado	jogai
		joguem

SUBJUNCTIVE

PRESENT	IMPERFECT	FUTURE
1. jogue	jogasse	jogar
2. jogues	jogasses	jogares
3. jogue	jogasse	jogar
1. joguemos	jogássemos	jogarmos
2. jogueis	jogásseis	jogardes
3. joguem	jogassem	jogarem

PERFECT	PLUPERFECT	FUTURE PERFECT
tenha jogado *etc*	tivesse jogado *etc*	tiver jogado *etc*

INFINITIVE

PERSONAL INFINITIVE

PARTICIPLE

PRESENT jogar	1. jogar	1. jogarmos
PAST ter jogado	2. jogares	2. jogardes
	3. jogar	3. jogarem

PRESENT jogando

PAST jogado

PRESENT	IMPERFECT	FUTURE
1. julgo	julgava	julgarei
2. julgas	julgavas	julgarás
3. julga	julgava	julgará
1. julgamos	julgávamos	julgaremos
2. julgais	julgáveis	julgareis
3. julgam	julgavam	julgarão

PRETERITE	PERFECT	PLUPERFECT
1. julguei	tenho julgado	julgara
2. julgaste	tens julgado	julgaras
3. julgou	tem julgado	julgara
1. julgámos	temos julgado	julgáramos
2. julgastes	tendes julgado	julgáreis
3. julgaram	têm julgado	julgaram

PLUPERFECT (COMPOUND)	FUTURE PERFECT
tinha julgado *etc*	terei julgado *etc*

CONDITIONAL

PRESENT	PERFECT	IMPERATIVE
1. julgaria	teria julgado	
2. julgarias	terias julgado	julga
3. julgaria	teria julgado	julgue
1. julgaríamos	teríamos julgado	julguemos
2. julgaríeis	teríeis julgado	julgai
3. julgariam	teriam julgado	julguem

SUBJUNCTIVE

PRESENT	IMPERFECT	FUTURE
1. julgue	julgasse	julgar
2. julgues	julgasses	julgares
3. julgue	julgasse	julgar
1. julguemos	julgássemos	julgarmos
2. julgueis	julgásseis	julgardes
3. julguem	julgassem	julgarem

PERFECT	PLUPERFECT	FUTURE PERFECT
tenha julgado *etc*	tivesse julgado *etc*	tiver julgado *etc*

INFINITIVE

PRESENT julgar
PAST ter julgado

PERSONAL INFINITIVE

1. julgar	1. julgarmos
2. julgares	2. julgardes
3. julgar	3. julgarem

PARTICIPLE

PRESENT julgando
PAST julgado

PRESENT	IMPERFECT	FUTURE
1. lavo	lavava	lavarei
2. lavas	lavavas	lavarás
3. lava	lavava	lavará
1. lavamos	lavávamos	lavaremos
2. lavais	laváveis	lavareis
3. lavam	lavavam	lavarão

PRETERITE	PERFECT	PLUPERFECT
1. lavei	tenho lavado	lavara
2. lavaste	tens lavado	lavaras
3. lavou	tem lavado	lavara
1. lavámos	temos lavado	laváramos
2. lavastes	tendes lavado	laváreis
3. lavaram	têm lavado	lavaram

PLUPERFECT (COMPOUND)		FUTURE PERFECT
tinha lavado *etc*		terei lavado *etc*

CONDITIONAL

IMPERATIVE

PRESENT	PERFECT	
1. lavaria	teria lavado	
2. lavarias	terias lavado	lava
3. lavaria	teria lavado	lave
1. lavaríamos	teríamos lavado	lavemos
2. lavaríeis	teríeis lavado	lavai
3. lavariam	teriam lavado	lavem

SUBJUNCTIVE

PRESENT	IMPERFECT	FUTURE
1. lave	lavasse	lavar
2. laves	lavasses	lavares
3. lave	lavasse	lavar
1. lavemos	lavássemos	lavarmos
2. laveis	lavásseis	lavardes
3. lavem	lavassem	lavarem

PERFECT	PLUPERFECT	FUTURE PERFECT
tenha lavado *etc*	tivesse lavado *etc*	tiver lavado *etc*

INFINITIVE

PERSONAL INFINITIVE

PARTICIPLE

PRESENT lavar	1. lavar	1. lavarmos	PRESENT lavando	
PAST ter lavado	2. lavares	2. lavardes	PAST lavado	
	3. lavar	3. lavarem		

PRESENT	IMPERFECT	FUTURE
1. leio	lia	lerei
2. lês	lias	lerás
3. lê	lia	lerá
1. lemos	líamos	leremos
2. leis	líeis	lereis
3. lêem	liam	lerão

PRETERITE	PERFECT	PLUPERFECT
1. li	tenho lido	lera
2. leste	tens lido	leras
3. leu	tem lido	lera
1. lemos	temos lido	lêramos
2. lestes	tendes lido	lêreis
3. leram	têm lido	leram

PLUPERFECT (COMPOUND)		FUTURE PERFECT
tinha lido *etc*		terei lido *etc*

CONDITIONAL

PRESENT	PERFECT	IMPERATIVE
1. leria	teria lido	
2. lerias	terias lido	lê
3. leria	teria lido	leia
1. leríamos	teríamos lido	leiamos
2. leríeis	teríeis lido	lede
3. leriam	teriam lido	leiam

SUBJUNCTIVE

PRESENT	IMPERFECT	FUTURE
1. leia	lesse	ler
2. leias	lesses	leres
3. leia	lesse	ler
1. leiamos	lêssemos	lermos
2. leiais	lêsseis	lerdes
3. leiam	lessem	lerem

PERFECT	PLUPERFECT	FUTURE PERFECT
tenha lido *etc*	tivesse lido *etc*	tiver lido *etc*

INFINITIVE

PRESENT ler
PAST ter lido

PERSONAL INFINITIVE

1. ler	1. lermos
2. leres	2. lerdes
3. ler	3. lerem

PARTICIPLE

PRESENT lendo
PAST lido

PRESENT	IMPERFECT	FUTURE
1. meço	media	medirei
2. medes	medias	medirás
3. mede	media	medirá
1. medimos	medíamos	mediremos
2. medis	medíeis	medireis
3. medem	mediam	medirão

PRETERITE	PERFECT	PLUPERFECT
1. medi	tenho medido	medira
2. mediste	tens medido	mediras
3. mediu	tem medido	medira
1. medimos	temos medido	medíramos
2. medistes	tendes medido	medíreis
3. mediram	têm medido	mediram

PLUPERFECT (COMPOUND)	FUTURE PERFECT
tinha medido *etc*	terei medido *etc*

CONDITIONAL

IMPERATIVE

PRESENT	PERFECT	
1. mediria	teria medido	
2. medirias	terias medido	mede
3. mediria	teria medido	meça
1. mediríamos	teríamos medido	meçamos
2. mediríeis	teríeis medido	medi
3. mediriam	teriam medido	meçam

SUBJUNCTIVE

PRESENT	IMPERFECT	FUTURE
1. meça	medisse	medir
2. meças	medisses	medires
3. meça	medisse	medir
1. meçamos	medíssemos	medirmos
2. meçais	medísseis	medirdes
3. meçam	medissem	medirem

PERFECT	PLUPERFECT	FUTURE PERFECT
tenha medido *etc*	tivesse medido *etc*	tiver medido *etc*

INFINITIVE

PERSONAL INFINITIVE

PARTICIPLE

PRESENT medir	1. medir	1. medirmos	**PRESENT** medindo
PAST ter medido	2. medires	2. medirdes	**PAST** medido
	3. medir	3. medirem	

PRESENT
1. minto
2. mentes
3. mente
1. mentimos
2. mentis
3. mentem

IMPERFECT
mentia
mentias
mentia
mentíamos
mentíeis
mentiam

FUTURE
mentirei
mentirás
mentirá
mentiremos
mentireis
mentirão

PRETERITE
1. menti
2. mentiste
3. mentiu
1. mentimos
2. mentistes
3. mentiram

PERFECT
tenho mentido
tens mentido
tem mentido
temos mentido
tendes mentido
têm mentido

PLUPERFECT
mentira
mentiras
mentira
mentíramos
mentíreis
mentiram

PLUPERFECT (COMPOUND)
tinha mentido *etc*

FUTURE PERFECT
terei mentido *etc*

CONDITIONAL

PRESENT
1. mentiria
2. mentirias
3. mentiria
1. mentiríamos
2. mentiríeis
3. mentiriam

PERFECT
teria mentido
terias mentido
teria mentido
teríamos mentido
teríeis mentido
teriam mentido

IMPERATIVE

mente
minta
mintamos
menti
mintam

SUBJUNCTIVE

PRESENT
1. minta
2. mintas
3. minta
1. mintamos
2. mintais
3. mintam

IMPERFECT
mentisse
mentisses
mentisse
mentíssemos
mentísseis
mentissem

FUTURE
mentir
mentires
mentir
mentirmos
mentirdes
mentirem

PERFECT
tenha mentido *etc*

PLUPERFECT
tivesse mentido *etc*

FUTURE PERFECT
tiver mentido *etc*

INFINITIVE

PRESENT mentir
PAST ter mentido

PERSONAL INFINITIVE

1. mentir
2. mentires
3. mentir

1. mentirmos
2. mentirdes
3. mentirem

PARTICIPLE

PRESENT mentindo
PAST mentido

MERECER
140 *to deserve*

PRESENT	IMPERFECT	FUTURE
1. mereço	merecia	merecerei
2. mereces	merecias	merecerás
3. merece	merecia	merecerá
1. merecemos	merecíamos	mereceremos
2. mereceis	merecíeis	merecereis
3. merecem	mereciam	merecerão

PRETERITE	PERFECT	PLUPERFECT
1. mereci	tenho merecido	merecera
2. mereceste	tens merecido	mereceras
3. mereceu	tem merecido	merecera
1. merecemos	temos merecido	merecêramos
2. merecestes	tendes merecido	merecêreis
3. mereceram	têm merecido	mereceram

PLUPERFECT (COMPOUND)		FUTURE PERFECT
tinha merecido *etc*		terei merecido *etc*

CONDITIONAL		*IMPERATIVE*

PRESENT	PERFECT	
1. mereceria	teria merecido	
2. merecerias	terias merecido	merece
3. mereceria	teria merecido	mereça
1. mereceríamos	teríamos merecido	mereçamos
2. mereceríeis	teríeis merecido	merecei
3. mereceriam	teriam merecido	mereçam

SUBJUNCTIVE		

PRESENT	IMPERFECT	FUTURE
1. mereça	merecesse	merecer
2. mereças	merecesses	mereceres
3. mereça	merecesse	merecer
1. mereçamos	merecêssemos	merecermos
2. mereçais	merecêsseis	merecerdes
3. mereçam	merecessem	merecerem

PERFECT	PLUPERFECT	FUTURE PERFECT
tenha merecido *etc*	tivesse merecido *etc*	tiver merecido *etc*

INFINITIVE	*PERSONAL INFINITIVE*		*PARTICIPLE*
PRESENT merecer	1. merecer	1. merecermos	PRESENT merecendo
PAST ter merecido	2. mereceres	2. merecerdes	PAST merecido
	3. merecer	3. merecerem	

PRESENT
1. moo
2. móis
3. mói
1. moemos
2. moeis
3. moem

IMPERFECT
moía
moías
moía
moíamos
moíeis
moíam

FUTURE
moerei
moerás
moerá
moeremos
moereis
moerão

PRETERITE
1. moí
2. moeste
3. moeu
1. moemos
2. moestes
3. moeram

PERFECT
tenho moído
tens moído
tem moído
temos moído
tendes moído
têm moído

PLUPERFECT
moera
moeras
moera
moêramos
moêreis
moeram

PLUPERFECT (COMPOUND)
tinha moído *etc*

FUTURE PERFECT
terei moído *etc*

CONDITIONAL

PRESENT
1. moeria
2. moerias
3. moeria
1. moeríamos
2. moeríeis
3. moeriam

PERFECT
teria moído
terias moído
teria moído
teríamos moído
teríeis moído
teriam moído

IMPERATIVE

mói
moa
moamos
moei
moam

SUBJUNCTIVE

PRESENT
1. moa
2. moas
3. moa
1. moamos
2. moais
3. moam

IMPERFECT
moesse
moesses
moesse
moêssemos
moêsseis
moessem

FUTURE
moer
moeres
moer
moermos
moerdes
moerem

PERFECT
tenha moído *etc*

PLUPERFECT
tivesse moído *etc*

FUTURE PERFECT
tiver moído *etc*

INFINITIVE

PRESENT moer
PAST ter moído

PERSONAL INFINITIVE

1. moer
2. moeres
3. moer
1. moermos
2. moerdes
3. moerem

PARTICIPLE

PRESENT moendo
PAST moído

MORDER
142 *to bite*

PRESENT	IMPERFECT	FUTURE
1. mordo	mordia	morderei
2. mordes	mordias	morderás
3. morde	mordia	morderá
1. mordemos	mordíamos	morderemos
2. mordeis	mordíeis	mordereis
3. mordem	mordiam	morderão

PRETERITE	PERFECT	PLUPERFECT
1. mordi	tenho mordido	mordera
2. mordeste	tens mordido	morderas
3. mordeu	tem mordido	mordera
1. mordemos	temos mordido	mordêramos
2. mordestes	tendes mordido	mordêreis
3. morderam	têm mordido	morderam

PLUPERFECT (COMPOUND)		FUTURE PERFECT
tinha mordido *etc*		terei mordido *etc*

CONDITIONAL

IMPERATIVE

PRESENT	PERFECT	
1. morderia	teria mordido	
2. morderias	terias mordido	morde
3. morderia	teria mordido	morda
1. morderíamos	teríamos mordido	mordamos
2. morderíeis	teríeis mordido	mordei
3. morderiam	teriam mordido	mordam

SUBJUNCTIVE

PRESENT	IMPERFECT	FUTURE
1. morda	mordesse	morder
2. mordas	mordesses	morderes
3. morda	mordesse	morder
1. mordamos	mordêssemos	mordermos
2. mordais	mordêsseis	morderdes
3. mordam	mordessem	morderem

PERFECT	PLUPERFECT	FUTURE PERFECT
tenha mordido *etc*	tivesse mordido *etc*	tiver mordido *etc*

INFINITIVE

PERSONAL INFINITIVE

PARTICIPLE

PRESENT morder	1. morder	1. mordermos	PRESENT mordendo
PAST ter mordido	2. morderes	2. morderdes	PAST mordido
	3. morder	3. morderem	

PRESENT
1. morro
2. morres
3. morre
1. morremos
2. morreis
3. morrem

PRETERITE
1. morri
2. morreste
3. morreu
1. morremos
2. morrestes
3. morreram

PLUPERFECT (COMPOUND)
tinha morrido *etc*

CONDITIONAL

PRESENT
1. morreria
2. morrerias
3. morreria
1. morreríamos
2. morreríeis
3. morreriam

SUBJUNCTIVE

PRESENT
1. morra
2. morras
3. morra
1. morramos
2. morrais
3. morram

PERFECT
tenha morrido *etc*

INFINITIVE

PRESENT morrer
PAST ter morrido

IMPERFECT
morria
morrias
morria
morríamos
morríeis
morriam

PERFECT
tenho morrido
tens morrido
tem morrido
temos morrido
tendes morrido
têm morrido

PERFECT
teria morrido
terias morrido
teria morrido
teríamos morrido
teríeis morrido
teriam morrido

IMPERFECT
morresse
morresses
morresse
morrêssemos
morrêsseis
morressem

PLUPERFECT
tivesse morrido *etc*

PERSONAL INFINITIVE

1. morrer	1. morrermos
2. morreres	2. morrerdes
3. morrer	3. morrerem

FUTURE
morrerei
morrerás
morrerá
morreremos
morrereis
morrerão

PLUPERFECT
morrera
morreras
morrera
morrêramos
morrêreis
morreram

FUTURE PERFECT
terei morrido *etc*

IMPERATIVE

morre
morra
morramos
morrei
morram

FUTURE
morrer
morreres
morrer
morrermos
morrerdes
morrerem

FUTURE PERFECT
tiver morrido *etc*

PARTICIPLE

PRESENT morrendo
PAST morrido/morto

MOVER
144 *to move*

PRESENT	IMPERFECT	FUTURE
1. movo	movia	moverei
2. moves	movias	moverás
3. move	movia	moverá
1. movemos	movíamos	moveremos
2. moveis	movíeis	movereis
3. movem	moviam	moverão

PRETERITE	PERFECT	PLUPERFECT
1. movi	tenho movido	movera
2. moveste	tens movido	moveras
3. moveu	tem movido	movera
1. movemos	temos movido	movêramos
2. movestes	tendes movido	movêreis
3. moveram	têm movido	moveram

PLUPERFECT (COMPOUND)
tinha movido *etc*

FUTURE PERFECT
terei movido *etc*

CONDITIONAL

PRESENT	PERFECT
1. moveria	teria movido
2. moverias	terias movido
3. moveria	teria movido
1. moveríamos	teríamos movido
2. moveríeis	teríeis movido
3. moveriam	teriam movido

IMPERATIVE

move
mova
movamos
movei
movam

SUBJUNCTIVE

PRESENT	IMPERFECT	FUTURE
1. mova	movesse	mover
2. movas	movesses	moveres
3. mova	movesse	mover
1. movamos	movêssemos	movermos
2. movais	movêsseis	moverdes
3. movam	movessem	moverem

PERFECT	PLUPERFECT	FUTURE PERFECT
tenha movido *etc*	tivesse movido *etc*	tiver movido *etc*

INFINITIVE

PRESENT mover

PAST ter movido

PERSONAL INFINITIVE

1. mover	1. movermos
2. moveres	2. moverdes
3. mover	3. moverem

PARTICIPLE

PRESENT movendo

PAST movido

PRESENT
1. nado
2. nadas
3. nada
1. nadamos
2. nadais
3. nadam

IMPERFECT
nadava
nadavas
nadava
nadávamos
nadáveis
nadavam

FUTURE
nadarei
nadarás
nadará
nadaremos
nadareis
nadarão

PRETERITE
1. nadei
2. nadaste
3. nadou
1. nadámos
2. nadastes
3. nadaram

PERFECT
tenho nadado
tens nadado
tem nadado
temos nadado
tendes nadado
têm nadado

PLUPERFECT
nadara
nadaras
nadara
nadáramos
nadáreis
nadaram

PLUPERFECT (COMPOUND)
tinha nadado *etc*

FUTURE PERFECT
terei nadado *etc*

CONDITIONAL

PRESENT
1. nadaria
2. nadarias
3. nadaria
1. nadaríamos
2. nadaríeis
3. nadariam

PERFECT
teria nadado
terias nadado
teria nadado
teríamos nadado
teríeis nadado
teriam nadado

IMPERATIVE

nada
nade
nademos
nadai
nadem

SUBJUNCTIVE

PRESENT
1. nade
2. nades
3. nade
1. nademos
2. nadeis
3. nadem

IMPERFECT
nadasse
nadasses
nadasse
nadássemos
nadásseis
nadassem

FUTURE
nadar
nadares
nadar
nadarmos
nadardes
nadarem

PERFECT
tenha nadado *etc*

PLUPERFECT
tivesse nadado *etc*

FUTURE PERFECT
tiver nadado *etc*

INFINITIVE

PRESENT nadar

PAST ter nadado

PERSONAL INFINITIVE

1. nadar
2. nadares
3. nadar
1. nadarmos
2. nadardes
3. nadarem

PARTICIPLE

PRESENT nadando

PAST nadado

NASCER
146 *to be born*

PRESENT	IMPERFECT	FUTURE
1. nasço	nascia	nascerei
2. nasces	nascias	nascerás
3. nasce	nascia	nascerá
1. nascemos	nascíamos	nasceremos
2. nasceis	nascíeis	nascereis
3. nascem	nasciam	nascerão

PRETERITE	PERFECT	PLUPERFECT
1. nasci	tenho nascido	nascera
2. nasceste	tens nascido	nasceras
3. nasceu	tem nascido	nascera
1. nascemos	temos nascido	nascêramos
2. nascestes	tendes nascido	nascêreis
3. nasceram	têm nascido	nasceram

PLUPERFECT (COMPOUND)	FUTURE PERFECT
tinha nascido *etc*	terei nascido *etc*

CONDITIONAL

IMPERATIVE

PRESENT	PERFECT	
1. nasceria	teria nascido	
2. nascerias	terias nascido	
3. nasceria	teria nascido	nasce
1. nasceríamos	teríamos nascido	nasça
2. nasceríeis	teríeis nascido	nasçamos
3. nasceriam	teriam nascido	nascei
		nasçam

SUBJUNCTIVE

PRESENT	IMPERFECT	FUTURE
1. nasça	nascesse	nascer
2. nasças	nascesses	nasceres
3. nasça	nascesse	nascer
1. nasçamos	nascêssemos	nascermos
2. nasçais	nascêsseis	nascerdes
3. nasçam	nascessem	nascerem

PERFECT	PLUPERFECT	FUTURE PERFECT
tenha nascido *etc*	tivesse nascido *etc*	tiver nascido *etc*

INFINITIVE

PERSONAL INFINITIVE

PARTICIPLE

PRESENT nascer	1. nascer	1. nascermos	PRESENT nascendo
PAST ter nascido	2. nasceres	2. nascerdes	PAST nascido
	3. nascer	3. nascerem	

PRESENT	IMPERFECT	FUTURE
1. necessito	necessitava	necessitarei
2. necessitas	necessitavas	necessitarás
3. necessita	necessitava	necessitará
1. necessitamos	necessitávamos	necessitaremos
2. necessitais	necessitáveis	necessitareis
3. necessitam	necessitavam	necessitarão

PRETERITE	PERFECT	PLUPERFECT
1. necessitei	tenho necessitado	necessitara
2. necessitaste	tens necessitado	necessitaras
3. necessitou	tem necessitado	necessitara
1. necessitámos	temos necessitado	necessitáramos
2. necessitastes	tendes necessitado	necessitáreis
3. necessitaram	têm necessitado	necessitaram

PLUPERFECT (COMPOUND)		FUTURE PERFECT
tinha necessitado *etc*		terei necessitado *etc*

CONDITIONAL

IMPERATIVE

PRESENT	PERFECT	
1. necessitaria	teria necessitado	
2. necessitarias	terias necessitado	necessita
3. necessitaria	teria necessitado	necessite
1. necessitaríamos	teríamos necessitado	necessitemos
2. necessitaríeis	teríeis necessitado	necessitai
3. necessitariam	teriam necessitado	necessitem

SUBJUNCTIVE

PRESENT	IMPERFECT	FUTURE
1. necessite	necessitasse	necessitar
2. necessites	necessitasses	necessitares
3. necessite	necessitasse	necessitar
1. necessitemos	necessitássemos	necessitarmos
2. necessiteis	necessitásseis	necessitardes
3. necessitem	necessitassem	necessitarem

PERFECT	PLUPERFECT	FUTURE PERFECT
tenha necessitado *etc*	tivesse necessitado *etc*	tiver necessitado *etc*

INFINITIVE

PERSONAL INFINITIVE

PARTICIPLE

PRESENT necessitar	1. necessitar	1. necessitarmos	**PRESENT** necessitando
PAST ter necessitado	2. necessitares	2. necessitardes	**PAST** necessitado
	3. necessitar	3. necessitarem	

NEGAR
148 *to deny*

PRESENT	IMPERFECT	FUTURE
1. nego	negava	negarei
2. negas	negavas	negarás
3. nega	negava	negará
1. negamos	negávamos	negaremos
2. negais	negáveis	negareis
3. negam	negavam	negarão

PRETERITE	PERFECT	PLUPERFECT
1. neguei	tenho negado	negara
2. negaste	tens negado	negaras
3. negou	tem negado	negara
1. negámos	temos negado	negáramos
2. negastes	tendes negado	negáreis
3. negaram	têm negado	negaram

PLUPERFECT (COMPOUND)	FUTURE PERFECT
tinha negado *etc*	terei negado *etc*

CONDITIONAL

IMPERATIVE

PRESENT	PERFECT	
1. negaria	teria negado	
2. negarias	terias negado	
3. negaria	teria negado	nega
1. negaríamos	teríamos negado	negue
2. negaríeis	teríeis negado	neguemos
3. negariam	teriam negado	negai
		neguem

SUBJUNCTIVE

PRESENT	IMPERFECT	FUTURE
1. negue	negasse	negar
2. negues	negasses	negares
3. negue	negasse	negar
1. neguemos	negássemos	negarmos
2. negueis	negásseis	negardes
3. neguem	negassem	negarem

PERFECT	PLUPERFECT	FUTURE PERFECT
tenha negado *etc*	tivesse negado *etc*	tiver negado *etc*

INFINITIVE

PERSONAL INFINITIVE

PARTICIPLE

PRESENT negar	1. negar	1. negarmos	PRESENT negando
PAST ter negado	2. negares	2. negardes	PAST negado
	3. negar	3. negarem	

PRESENT	IMPERFECT	FUTURE
1.		
2.		
3. neva	nevava	nevará
1.		
2.		
3.		

PRETERITE	PERFECT	PLUPERFECT
1.		
2.		
3. nevou	tem nevado	nevara
1.		
2.		
3.		

PLUPERFECT (COMPOUND)	FUTURE PERFECT
tinha nevado	terá nevado

CONDITIONAL

PRESENT	PERFECT
1.	
2.	
3. nevaria	teria nevado
1.	
2.	
3.	

SUBJUNCTIVE

PRESENT	IMPERFECT	FUTURE
1.		
2.		
3. neve	nevasse	nevar
1.		
2.		
3.		

PERFECT	PLUPERFECT	FUTURE PERFECT
tenha nevado	tivesse nevado	tiver nevado

INFINITIVE	PERSONAL INFINITIVE	PARTICIPLE
PRESENT nevar		**PRESENT** nevando
PAST ter nevado		**PAST** nevado
	3. nevar	

OBEDECER
150 *to obey*

PRESENT	IMPERFECT	FUTURE
1. obedeço	obedecia	obedecerei
2. obedeces	obedecias	obedecerás
3. obedece	obedecia	obedecerá
1. obedecemos	obedecíamos	obedeceremos
2. obedeceis	obedecíeis	obedecereis
3. obedecem	obedeciam	obedecerão

PRETERITE	PERFECT	PLUPERFECT
1. obedeci	tenho obedecido	obedecera
2. obedeceste	tens obedecido	obedeceras
3. obedeceu	tem obedecido	obedecera
1. obedecêmos	temos obedecido	obedecêramos
2. obedecestes	tendes obedecido	obedecêreis
3. obedeceram	têm obedecido	obedeceram

PLUPERFECT (COMPOUND)		FUTURE PERFECT
tinha obedecido *etc*		terei obedecido *etc*

CONDITIONAL

IMPERATIVE

PRESENT	PERFECT	
1. obedeceria	teria obedecido	
2. obedecerias	terias obedecido	obedece
3. obedeceria	teria obedecido	obedeça
1. obedeceríamos	teríamos obedecido	obedeçamos
2. obedeceríeis	teríeis obedecido	obedecei
3. obedeceriam	teriam obedecido	obedeçam

SUBJUNCTIVE

PRESENT	IMPERFECT	FUTURE
1. obedeça	obedecesse	obedecer
2. obedeças	obedecesses	obedeceres
3. obedeça	obedecesse	obedecer
1. obedeçamos	obedecêssemos	obedecermos
2. obedeçais	obedecêsseis	obedecerdes
3. obedeçam	obedecessem	obedecerem

PERFECT	PLUPERFECT	FUTURE PERFECT
tenha obedecido *etc*	tivesse obedecido *etc*	tiver obedecido *etc*

INFINITIVE

PERSONAL INFINITIVE

PARTICIPLE

PRESENT obedecer	1. obedecer	1. obedecermos	**PRESENT** obedecendo
PAST ter obedecido	2. obedeceres	2. obedecerdes	**PAST** obedecido
	3. obedecer	3. obedecerem	

PRESENT
1. obrigo
2. obrigas
3. obriga
1. obrigamos
2. obrigais

IMPERFECT
obrigava
obrigavas
obrigava
obrigávamos
obrigáveis

FUTURE
obrigarei
obrigarás
obrigará
obrigaremos
obrigareis

PRETERITE
1. obriguei
2. obrigaste
3. obrigou
1. obrigámos
2. obrigastes
3. obrigaram

PERFECT
tenho obrigado
tens obrigado
tem obrigado
temos obrigado
tendes obrigado
têm obrigado

PLUPERFECT
obrigara
obrigaras
obrigara
obrigáramos
obrigáreis
obrigaram

PLUPERFECT (COMPOUND)
tinha obrigado *etc*

FUTURE PERFECT
terei obrigado *etc*

CONDITIONAL

IMPERATIVE

PRESENT
1. obrigaria
2. obrigarias
3. obrigaria
1. obrigaríamos
2. obrigaríeis
3. obrigariam

PERFECT
teria obrigado
terias obrigado
teria obrigado
teríamos obrigado
teríeis obrigado
teriam obrigado

obriga
obrigue
obriguemos
obrigai
obriguem

SUBJUNCTIVE

PRESENT
1. obrigue
2. obrigues
3. obrigue
1. obriguemos
2. obrigueis
3. obriguem

IMPERFECT
obrigasse
obrigasses
obrigasse
obrigássemos
obrigásseis
obrigassem

FUTURE
obrigar
obrigares
obrigar
obrigarmos
obrigardes
obrigarem

PERFECT
tenha obrigado *etc*

PLUPERFECT
tivesse obrigado *etc*

FUTURE PERFECT
tiver obrigado *etc*

INFINITIVE

PERSONAL INFINITIVE

PARTICIPLE

PRESENT obrigar
PAST ter obrigado

1. obrigar
2. obrigares
3. obrigar
1. obrigarmos
2. obrigardes
3. obrigarem

PRESENT obrigando
PAST obrigado

ODIAR

152 *to hate*

PRESENT	IMPERFECT	FUTURE
1. odeio	odiava	odiarei
2. odeias	odiavas	odiarás
3. odeia	odiava	odiará
1. odiamos	odiávamos	odiaremos
2. odiais	odiáveis	odiareis
3. odeiam	odiavam	odiarão

PRETERITE	PERFECT	PLUPERFECT
1. odiei	tenho odiado	odiara
2. odiaste	tens odiado	odiaras
3. odiou	tem odiado	odiara
1. odiámos	temos odiado	odiáramos
2. odiastes	tendes odiado	odiáreis
3. odiaram	têm odiado	odiaram

PLUPERFECT (COMPOUND)	FUTURE PERFECT
tinha odiado *etc*	terei odiado *etc*

CONDITIONAL

IMPERATIVE

PRESENT	PERFECT	
1. odiaria	teria odiado	
2. odiarias	terias odiado	odeia
3. odiaria	teria odiado	odeie
1. odiaríamos	teríamos odiado	odiemos
2. odiaríeis	teríeis odiado	odiai
3. odiariam	teriam odiado	odeiem

SUBJUNCTIVE

PRESENT	IMPERFECT	FUTURE
1. odeie	odiasse	odiar
2. odeies	odiasses	odiares
3. odeie	odiasse	odiar
1. odiemos	odiássemos	odiarmos
2. odieis	odiásseis	odiardes
3. odeiem	odiassem	odiarem

PERFECT	PLUPERFECT	FUTURE PERFECT
tenha odiado *etc*	tivesse odiado *etc*	tiver odiado *etc*

INFINITIVE

PERSONAL INFINITIVE

PARTICIPLE

PRESENT odiar	1. odiar	1. odiarmos
PAST ter odiado	2. odiares	2. odiardes
	3. odiar	3. odiarem

PRESENT odiando
PAST odiado

PRESENT	**IMPERFECT**	**FUTURE**
1. ofendo	ofendia	ofenderei
2. ofendes	ofendias	ofenderás
3. ofende	ofendia	ofenderá
1. ofendemos	ofendíamos	ofenderemos
2. ofendeis	ofendíeis	ofendereis
3. ofendem	ofendiam	ofenderão

PRETERITE	**PERFECT**	**PLUPERFECT**
1. ofendi	tenho ofendido	ofendera
2. ofendeste	tens ofendido	ofenderas
3. ofendeu	tem ofendido	ofendera
1. ofendemos	temos ofendido	ofendêramos
2. ofendestes	tendes ofendido	ofendêreis
3. ofenderam	têm ofendido	ofenderam

PLUPERFECT (COMPOUND)		**FUTURE PERFECT**
tinha ofendido *etc*		terei ofendido *etc*

CONDITIONAL

IMPERATIVE

PRESENT	**PERFECT**	
1. ofenderia	teria ofendido	
2. ofenderias	terias ofendido	
3. ofenderia	teria ofendido	ofende
1. ofenderíamos	teríamos ofendido	ofenda
2. ofenderíeis	teríeis ofendido	ofendamos
3. ofenderiam	teriam ofendido	ofendei
		ofendam

SUBJUNCTIVE

PRESENT	**IMPERFECT**	**FUTURE**
1. ofenda	ofendesse	ofender
2. ofendas	ofendesses	ofenderes
3. ofenda	ofendesse	ofender
1. ofendamos	ofendêssemos	ofendermos
2. ofendais	ofendêsseis	ofenderdes
3. ofendam	ofendessem	ofenderem

PERFECT	**PLUPERFECT**	**FUTURE PERFECT**
tenha ofendido *etc*	tivesse ofendido *etc*	tiver ofendido *etc*

INFINITIVE

PERSONAL INFINITIVE

PARTICIPLE

PRESENT ofender	1. ofender	1. ofendermos	**PRESENT** ofendendo
PAST ter ofendido	2. ofenderes	2. ofenderdes	**PAST** ofendido
	3. ofender	3. ofenderem	

OFERECER
154 *to offer*

PRESENT	IMPERFECT	FUTURE
1. ofereço	oferecia	oferecerei
2. ofereces	oferecias	oferecerás
3. oferece	oferecia	oferecerá
1. oferecemos	oferecíamos	ofereceremos
2. ofereceis	oferecíeis	oferecereis
3. oferecem	ofereciam	oferecerão

PRETERITE	PERFECT	PLUPERFECT
1. ofereci	tenho oferecido	oferecera
2. ofereceste	tens oferecido	ofereceras
3. ofereceu	tem oferecido	oferecera
1. oferecemos	temos oferecido	oferecêramos
2. oferecestes	tendes oferecido	oferecêreis
3. ofereceram	têm oferecido	ofereceram

PLUPERFECT (COMPOUND)
tinha oferecido *etc*

FUTURE PERFECT
terei oferecido *etc*

CONDITIONAL

PRESENT	PERFECT
1. ofereceria	teria oferecido
2. oferecerias	terias oferecido
3. ofereceria	teria oferecido
1. ofereceríamos	teríamos oferecido
2. ofereceríeis	teríeis oferecido
3. ofereceriam	teriam oferecido

IMPERATIVE

oferece
ofereça
ofereçamos
oferecei
ofereçam

SUBJUNCTIVE

PRESENT	IMPERFECT	FUTURE
1. ofereça	oferecesse	oferecer
2. ofereças	oferecesses	ofereceres
3. ofereça	oferecesse	oferecer
1. ofereçamos	oferecêssemos	oferecermos
2. ofereçais	oferecêsseis	oferecerdes
3. ofereçam	oferecessem	oferecerem

PERFECT	PLUPERFECT	FUTURE PERFECT
tenha oferecido *etc*	tivesse oferecido *etc*	tiver oferecido *etc*

INFINITIVE

PRESENT oferecer
PAST ter oferecido

PERSONAL INFINITIVE

1. oferecer	1. oferecermos
2. ofereceres	2. oferecerdes
3. oferecer	3. oferecerem

PARTICIPLE

PRESENT oferecendo
PAST oferecido

PRESENT	**IMPERFECT**	**FUTURE**
1. ouço (oiço)	ouvia	ouvirei
2. ouves	ouvias	ouvirás
3. ouve	ouvia	ouvirá
1. ouvimos	ouvíamos	ouviremos
2. ouvis	ouvíeis	ouvireis
3. ouvem	ouviam	ouvirão

PRETERITE	**PERFECT**	**PLUPERFECT**
1. ouvi	tenho ouvido	ouvira
2. ouviste	tens ouvido	ouviras
3. ouviu	tem ouvido	ouvira
1. ouvimos	temos ouvido	ouvíramos
2. ouvistes	tendes ouvido	ouvíreis
3. ouviram	têm ouvido	ouviram

PLUPERFECT (COMPOUND)		**FUTURE PERFECT**
tinha ouvido *etc*		terei ouvido *etc*

CONDITIONAL

PRESENT	**PERFECT**	**IMPERATIVE**
1. ouviria	teria ouvido	
2. ouvirias	terias ouvido	
3. ouviria	teria ouvido	ouve
1. ouviríamos	teríamos ouvido	ouça (oiça)
2. ouviríeis	teríeis ouvido	ouçamos (oiçamos)
3. ouviriam	teriam ouvido	ouvi
		ouçam (oiçam)

SUBJUNCTIVE

PRESENT	**IMPERFECT**	**FUTURE**
1. ouça (oiça)	ouvisse	ouvir
2. ouças (oiças)	ouvisses	ouvires
3. ouça (oiça)	ouvisse	ouvir
1. ouçamos (oiçamos)	ouvíssemos	ouvirmos
2. ouçais (oiçais)	ouvísseis	ouvirdes
3. ouçam (oiçam)	ouvissem	ouvirem

PERFECT	**PLUPERFECT**	**FUTURE PERFECT**
tenha ouvido *etc*	tivesse ouvido *etc*	tiver ouvido *etc*

INFINITIVE

	PERSONAL INFINITIVE		**PARTICIPLE**
PRESENT ouvir	1. ouvir	1. ouvirmos	**PRESENT** ouvindo
PAST ter ouvido	2. ouvires	2. ouvirdes	**PAST** ouvido
	3. ouvir	3. ouvirem	

PRESENT	IMPERFECT	FUTURE
1. pago	pagava	pagarei
2. pagas	pagavas	pagarás
3. paga	pagava	pagará
1. pagamos	pagávamos	pagaremos
2. pagais	pagáveis	pagareis
3. pagam	pagavam	pagarão

PRETERITE	PERFECT	PLUPERFECT
1. paguei	tenho pago	pagara
2. pagaste	tens pago	pagaras
3. pagou	tem pago	pagara
1. pagámos	temos pago	pagáramos
2. pagastes	tendes pago	pagáreis
3. pagaram	têm pago	pagaram

PLUPERFECT (COMPOUND)	FUTURE PERFECT
tinha pago *etc*	terei pago *etc*

CONDITIONAL

IMPERATIVE

PRESENT	PERFECT	
1. pagaria	teria pago	
2. pagarias	terias pago	paga
3. pagaria	teria pago	pague
1. pagaríamos	teríamos pago	paguemos
2. pagaríeis	teríeis pago	pagai
3. pagariam	teriam pago	paguem

SUBJUNCTIVE

PRESENT	IMPERFECT	FUTURE
1. pague	pagasse	pagar
2. pagues	pagasses	pagares
3. pague	pagasse	pagar
1. paguemos	pagássemos	pagarmos
2. pagueis	pagásseis	pagardes
3. paguem	pagassem	pagarem

PERFECT	PLUPERFECT	FUTURE PERFECT
tenha pago *etc*	tivesse pago *etc*	tiver pago *etc*

INFINITIVE

PERSONAL INFINITIVE

PARTICIPLE

INFINITIVE	PERSONAL INFINITIVE		PARTICIPLE
PRESENT pagar	1. pagar	1. pagarmos	PRESENT pagando
PAST ter pago	2. pagares	2. pagardes	PAST pago
	3. pagar	3. pagarem	

PRESENT	IMPERFECT	FUTURE
1. pareço	parecia	parecerei
2. pareces	parecias	parecerás
3. parece	parecia	parecerá
1. parecemos	parecíamos	pareceremos
2. pareceis	parecíeis	parecereis
3. parecem	pareciam	parecerão

PRETERITE	PERFECT	PLUPERFECT
1. pareci	tenho parecido	parecera
2. pareceste	tens parecido	pareceras
3. pareceu	tem parecido	parecera
1. parecemos	temos parecido	parecêramos
2. parecestes	tendes parecido	parecêreis
3. pareceram	têm parecido	pareceram

PLUPERFECT (COMPOUND)	FUTURE PERFECT
tinha parecido *etc*	terei parecido *etc*

CONDITIONAL

IMPERATIVE

PRESENT	PERFECT	
1. pareceria	teria parecido	
2. parecerias	terias parecido	parece
3. pareceria	teria parecido	pareça
1. pareceríamos	teríamos parecido	pareçamos
2. pareceríeis	teríeis parecido	parecei
3. pareceriam	teriam parecido	pareçam

SUBJUNCTIVE

PRESENT	IMPERFECT	FUTURE
1. pareça	parecesse	parecer
2. pareças	parecesses	pareceres
3. pareça	parecesse	parecer
1. pareçamos	parecêssemos	parecermos
2. pareçais	parecêsseis	parecerdes
3. pareçam	parecessem	parecerem

PERFECT	PLUPERFECT	FUTURE PERFECT
tenha parecido *etc*	tivesse parecido *etc*	tiver parecido *etc*

INFINITIVE

PERSONAL INFINITIVE

PARTICIPLE

PRESENT parecer	1. parecer	1. parecermos	**PRESENT** parecendo
PAST ter parecido	2. pareceres	2. parecerdes	**PAST** parecido
	3. parecer	3. parecerem	

	IMPERFECT	**FUTURE**
. parto	partia	partirei
2. partes	partias	partirás
3. parte	partia	partirá
1. partimos	partíamos	partiremos
2. partis	partíeis	partireis
3. partem	partiam	partirão

PRETERITE	**PERFECT**	**PLUPERFECT**
1. parti	tenho partido	partira
2. partiste	tens partido	partiras
3. partiu	tem partido	partira
1. partimos	temos partido	partíramos
2. partistes	tendes partido	partíreis
3. partiram	têm partido	partiram

PLUPERFECT (COMPOUND)	**FUTURE PERFECT**
tinha partido *etc*	terei partido *etc*

CONDITIONAL

IMPERATIVE

PRESENT	**PERFECT**	
1. partiria	teria partido	
2. partirias	terias partido	parte
3. partiria	teria partido	parta
1. partiríamos	teríamos partido	partamos
2. partiríeis	teríeis partido	parti
3. partiriam	teriam partido	partam

SUBJUNCTIVE

PRESENT	**IMPERFECT**	**FUTURE**
1. parta	partisse	partir
2. partas	partisses	partires
3. parta	partisse	partir
1. partamos	partíssemos	partirmos
2. partais	partísseis	partirdes
3. partam	partissem	partirem

PERFECT	**PLUPERFECT**	**FUTURE PERFECT**
tenha partido *etc*	tivesse partido *etc*	tiver partido *etc*

INFINITIVE

PERSONAL INFINITIVE

PARTICIPLE

PRESENT partir	1. partir	1. partirmos	**PRESENT** partindo
PAST ter partido	2. partires	2. partirdes	**PAST** partido
	3. partir	3. partirem	

PRESENT	**IMPERFECT**	**FUTURE**
1. passeio	passeava	passearei
2. passeias	passeavas	passearás
3. passeia	passeava	passeará
1. passeamos	passeávamos	passearemos
2. passeais	passeáveis	passeareis
3. passeiam	passeavam	passearão

PRETERITE	**PERFECT**	**PLUPERFECT**
1. passeei	tenho passeado	passeara
2. passeaste	tens passeado	passearas
3. passeou	tem passeado	passeara
1. passeámos	temos passeado	passeáramos
2. passeastes	tendes passeado	passeáreis
3. passearam	têm passeado	passearam

PLUPERFECT (COMPOUND)	**FUTURE PERFECT**
tinha passeado *etc*	terei passeado *etc*

CONDITIONAL

IMPERATIVE

PRESENT	**PERFECT**	
1. passearia	teria passeado	
2. passearias	terias passeado	passeia
3. passearia	teria passeado	passeie
1. passearíamos	teríamos passeado	passeemos
2. passearíeis	teríeis passeado	passeai
3. passeariam	teriam passeado	passeiem

SUBJUNCTIVE

PRESENT	**IMPERFECT**	**FUTURE**
1. passeie	passeasse	passear
2. passeies	passeasses	passeares
3. passeie	passeasse	passear
1. passeemos	passeássemos	passearmos
2. passeeis	passeásseis	passeardes
3. passeiem	passeassem	passearem

PERFECT	**PLUPERFECT**	**FUTURE PERFECT**
tenha passeado *etc*	tivesse passeado *etc*	tiver passeado *etc*

INFINITIVE

PERSONAL INFINITIVE

PARTICIPLE

PRESENT passear	1. passear	1. passearmos	**PRESENT** passeando
PAST ter passeado	2. passeares	2. passeardes	**PAST** passeado
	3. passear	3. passearem	

PRESENT	**IMPERFECT**	**FUTURE**
1. peço	pedia	pedirei
2. pedes	pedias	pedirás
3. pede	pedia	pedirá
1. pedimos	pedíamos	pediremos
2. pedis	pedíeis	pedireis
3. pedem	pediam	pedirão

PRETERITE	**PERFECT**	**PLUPERFECT**
1. pedi	tenho pedido	pedira
2. pediste	tens pedido	pediras
3. pediu	tem pedido	pedira
1. pedimos	temos pedido	pedíramos
2. pedistes	tendes pedido	pedíreis
3. pediram	têm pedido	pediram

PLUPERFECT (COMPOUND)	**FUTURE PERFECT**
tinha pedido *etc*	terei pedido *etc*

CONDITIONAL

IMPERATIVE

PRESENT	**PERFECT**	
1. pediria	teria pedido	
2. pedirias	terias pedido	pede
3. pediria	teria pedido	peça
1. pediríamos	teríamos pedido	peçamos
2. pediríeis	teríeis pedido	pedi
3. pediriam	teriam pedido	peçam

SUBJUNCTIVE

PRESENT	**IMPERFECT**	**FUTURE**
1. peça	pedisse	pedir
2. peças	pedisses	pedires
3. peça	pedisse	pedir
1. peçamos	pedíssemos	pedirmos
2. peçais	pedísseis	pedirdes
3. peçam	pedissem	pedirem

PERFECT	**PLUPERFECT**	**FUTURE PERFECT**
tenha pedido *etc*	tivesse pedido *etc*	tiver pedido *etc*

INFINITIVE

PERSONAL INFINITIVE

PARTICIPLE

PRESENT pedir	1. pedir	1. pedirmos	**PRESENT** pedindo
PAST ter pedido	2. pedires	2. pedirdes	**PAST** pedido
	3. pedir	3. pedirem	

PRESENT	**IMPERFECT**	**FUTURE**
1. penso	pensava	pensarei
2. pensas	pensavas	pensarás
3. pensa	pensava	pensará
1. pensamos	pensávamos	pensaremos
2. pensais	pensáveis	pensareis
3. pensam	pensavam	pensarão

PRETERITE	**PERFECT**	**PLUPERFECT**
1. pensei	tenho pensado	pensara
2. pensaste	tens pensado	pensaras
3. pensou	tem pensado	pensara
1. pensámos	temos pensado	pensáramos
2. pensastes	tendes pensado	pensáreis
3. pensaram	têm pensado	pensaram

PLUPERFECT (COMPOUND)	**FUTURE PERFECT**
tinha pensado *etc*	terei pensado *etc*

CONDITIONAL

IMPERATIVE

PRESENT	**PERFECT**	
1. pensaria	teria pensado	
2. pensarias	terias pensado	pensa
3. pensaria	teria pensado	pense
1. pensaríamos	teríamos pensado	pensemos
2. pensaríeis	teríeis pensado	pensai
3. pensariam	teriam pensado	pensem

SUBJUNCTIVE

PRESENT	**IMPERFECT**	**FUTURE**
1. pense	pensasse	pensar
2. penses	pensasses	pensares
3. pense	pensasse	pensar
1. pensemos	pensássemos	pensarmos
2. penseis	pensásseis	pensardes
3. pensem	pensassem	pensarem

PERFECT	**PLUPERFECT**	**FUTURE PERFECT**
tenha pensado *etc*	tivesse pensado *etc*	tiver pensado *etc*

INFINITIVE

PERSONAL INFINITIVE

PARTICIPLE

PRESENT pensar	1. pensar	1. pensarmos	**PRESENT** pensando
PAST ter pensado	2. pensares	2. pensardes	**PAST** pensado
	3. pensar	3. pensarem	

PRESENT	**IMPERFECT**	**FUTURE**
1. perco	perdia	perderei
2. perdes	perdias	perderás
3. perde	perdia	perderá
1. perdemos	perdíamos	perderemos
2. perdeis	perdíeis	perdereis
3. perdem	perdiam	perderão

PRETERITE	**PERFECT**	**PLUPERFECT**
1. perdi	tenho perdido	perdera
2. perdeste	tens perdido	perderas
3. perdeu	tem perdido	perdera
1. perdemos	temos perdido	perdêramos
2. perdestes	tendes perdido	perdêreis
3. perderam	têm perdido	perderam

PLUPERFECT (COMPOUND)	**FUTURE PERFECT**
tinha perdido *etc*	terei perdido *etc*

CONDITIONAL

PRESENT	**PERFECT**	**IMPERATIVE**
1. perderia	teria perdido	
2. perderias	terias perdido	perde
3. perderia	teria perdido	perca
1. perderíamos	teríamos perdido	percamos
2. perderíeis	teríeis perdido	perdei
3. perderiam	teriam perdido	percam

SUBJUNCTIVE

PRESENT	**IMPERFECT**	**FUTURE**
1. perca	perdesse	perder
2. percas	perdesses	perderes
3. perca	perdesse	perder
1. percamos	perdêssemos	perdermos
2. percais	perdêsseis	perderdes
3. percam	perdessem	perderem

PERFECT	**PLUPERFECT**	**FUTURE PERFECT**
tenha perdido *etc*	tivesse perdido *etc*	tiver perdido *etc*

INFINITIVE

PRESENT perder
PAST ter perdido

PERSONAL INFINITIVE

1. perder	1. perdermos
2. perderes	2. perderdes
3. perder	3. perderem

PARTICIPLE

PRESENT perdendo
PAST perdido

to be able; can; to be allowed to

PRESENT	IMPERFECT	FUTURE
1. posso	podia	poderei
2. podes	podias	poderás
3. pode	podia	poderá
1. podemos	podíamos	poderemos
2. podeis	podíeis	podereis
3. podem	podiam	poderão

PRETERITE	PERFECT	PLUPERFECT
1. pude	tenho podido	pudera
2. pudeste	tens podido	puderas
3. pôde	tem podido	pudera
1. pudemos	temos podido	pudéramos
2. pudestes	tendes podido	pudéreis
3. puderam	têm podido	puderam

PLUPERFECT (COMPOUND)
tinha podido *etc*

FUTURE PERFECT
terei podido *etc*

CONDITIONAL

IMPERATIVE

PRESENT	PERFECT	
1. poderia	teria podido	
2. poderias	terias podido	pode
3. poderia	teria podido	possa
1. poderíamos	teríamos podido	possamos
2. poderíeis	teríeis podido	podei
3. poderiam	teriam podido	possam

SUBJUNCTIVE

PRESENT	IMPERFECT	FUTURE
1. possa	pudesse	puder
2. possas	pudesses	puderes
3. possa	pudesse	puder
1. possamos	pudéssemos	pudermos
2. possais	pudésseis	puderdes
3. possam	pudessem	puderem

PERFECT	PLUPERFECT	FUTURE PERFECT
tenha podido *etc*	tivesse podido *etc*	tiver podido *etc*

INFINITIVE

PERSONAL INFINITIVE

PARTICIPLE

PRESENT poder

PAST ter podido

1. poder	1. podermos
2. poderes	2. poderdes
3. poder	3. poderem

PRESENT podendo

PAST podido

PRESENT	IMPERFECT	FUTURE
1. ponho	punha	porei
2. pões	punhas	porás
3. põe	punha	porá
1. pomos	púnhamos	poremos
2. pondes	púnheis	poreis
3. põem	punham	porão

PRETERITE	PERFECT	PLUPERFECT
1. pus	tenho posto	pusera
2. puseste	tens posto	puseras
3. pôs	tem posto	pusera
1. pusemos	temos posto	puséramos
2. pusestes	tendes posto	puséreis
3. puseram	têm posto	puseram

PLUPERFECT (COMPOUND)	FUTURE PERFECT
tinha posto *etc*	terei posto *etc*

CONDITIONAL

IMPERATIVE

PRESENT	PERFECT	
1. poria	teria posto	
2. porias	terias posto	
3. poria	teria posto	põe
1. poríamos	teríamos posto	ponha
2. poríeis	teríeis posto	ponhamos
3. poriam	teriam posto	ponde
		ponham

SUBJUNCTIVE

PRESENT	IMPERFECT	FUTURE
1. ponha	pusesse	puser
2. ponhas	pusesses	puseres
3. ponha	pusesse	puser
1. ponhamos	puséssemos	pusermos
2. ponhais	pusésseis	puserdes
3. ponham	pusessem	puserem

PERFECT	PLUPERFECT	FUTURE PERFECT
tenha posto *etc*	tivesse posto *etc*	tiver posto *etc*

INFINITIVE

PERSONAL INFINITIVE

PARTICIPLE

PRESENT pôr	1. pôr	1. pormos	PRESENT pondo
PAST ter posto	2. pores	2. pordes	PAST posto
	3. pôr	3. porem	

PRESENT	**IMPERFECT**	**FUTURE**
1. pratico	praticava	praticarei
2. praticas	praticavas	praticarás
3. pratica	praticava	praticará
1. praticamos	praticávamos	praticaremos
2. praticais	praticáveis	praticareis
3. praticam	praticavam	praticarão

PRETERITE	**PERFECT**	**PLUPERFECT**
1. pratiquei	tenho praticado	praticara
2. praticaste	tens praticado	praticaras
3. praticou	tem praticado	praticara
1. praticámos	temos praticado	praticáramos
2. praticastes	tendes praticado	praticáreis
3. praticaram	têm praticado	praticaram

PLUPERFECT (COMPOUND)	**FUTURE PERFECT**
tinha praticado *etc*	terei praticado *etc*

CONDITIONAL

IMPERATIVE

PRESENT	**PERFECT**	
1. praticaria	teria praticado	
2. praticarias	terias praticado	pratica
3. praticaria	teria praticado	pratique
1. praticaríamos	teríamos praticado	pratiquemos
2. praticaríeis	teríeis praticado	praticai
3. praticariam	teriam praticado	pratiquem

SUBJUNCTIVE

PRESENT	**IMPERFECT**	**FUTURE**
1. pratique	praticasse	praticar
2. pratiques	praticasses	praticares
3. pratique	praticasse	praticar
1. pratiquemos	praticássemos	praticarmos
2. pratiqueis	praticásseis	praticardes
3. pratiquem	praticassem	praticarem

PERFECT	**PLUPERFECT**	**FUTURE PERFECT**
tenha praticado *etc*	tivesse praticado *etc*	tiver praticado *etc*

INFINITIVE

PERSONAL INFINITIVE

PARTICIPLE

PRESENT praticar	1. praticar	1. praticarmos	**PRESENT** praticando
PAST ter praticado	2. praticares	2. praticardes	**PAST** praticado
	3. praticar	3. praticarem	

PRESENT	IMPERFECT	FUTURE
1.		
2.		
3. praz	prazia	prazerá
1.		
2.		
3.		

PRETERITE	PERFECT	PLUPERFECT
1.		
2.		
3. prouve	tem prazido	prouvera
1.		
2.		
3.		

PLUPERFECT (COMPOUND)		FUTURE PERFECT
tinha prazido *etc*		terá prazido *etc*

CONDITIONAL

IMPERATIVE

PRESENT	PERFECT	
1.		
2.		
3. prazeria	teria prazido	praz
1.		
2.		
3.		

SUBJUNCTIVE

PRESENT	IMPERFECT	FUTURE
1.		
2.		
3. praza	prouvesse	prouver
1.		
2.		
3.		

PERFECT	PLUPERFECT	FUTURE PERFECT
tenha prazido *etc*	tivesse prazido *etc*	tiver prazido *etc*

INFINITIVE

PERSONAL INFINITIVE

PARTICIPLE

PRESENT prazer

PAST ter prazido

3. prazer

PRESENT prazendo

PAST prazido

PRESENT	**IMPERFECT**	**FUTURE**
1. prefiro	preferia	preferirei
2. preferes	preferias	preferirás
3. prefere	preferia	preferirá
1. preferimos	preferíamos	preferiremos
2. preferis	preferíeis	preferireis
3. preferem	preferiam	preferirão

PRETERITE	**PERFECT**	**PLUPERFECT**
1. preferi	tenho preferido	preferira
2. preferiste	tens preferido	preferiras
3. preferiu	tem preferido	preferira
1. preferimos	temos preferido	preferíramos
2. preferistes	tendes preferido	preferíreis
3. preferiram	têm preferido	preferiram

PLUPERFECT (COMPOUND)	**FUTURE PERFECT**
tinha preferido *etc*	terei preferido *etc*

CONDITIONAL

IMPERATIVE

PRESENT	**PERFECT**	
1. preferiria	teria preferido	
2. preferirias	terias preferido	prefere
3. preferiria	teria preferido	prefira
1. preferiríamos	teríamos preferido	prefiramos
2. preferiríeis	teríeis preferido	preferi
3. prefeririam	teriam preferido	prefiram

SUBJUNCTIVE

PRESENT	**IMPERFECT**	**FUTURE**
1. prefira	preferisse	preferir
2. prefiras	preferisses	preferires
3. prefira	preferisse	preferir
1. prefiramos	preferíssemos	preferirmos
2. prefirais	preferísseis	preferirdes
3. prefiram	preferissem	preferirem

PERFECT	**PLUPERFECT**	**FUTURE PERFECT**
tenha preferido *etc*	tivesse preferido *etc*	tiver preferido *etc*

INFINITIVE

PERSONAL INFINITIVE

PARTICIPLE

PRESENT preferir	1. preferir	1. preferirmos	**PRESENT** preferindo
PAST ter preferido	2. preferires	2. preferirdes	**PAST** preferido
	3. preferir	3. preferirem	

PRODUZIR
168 to produce, to manufacture

PRESENT	IMPERFECT	FUTURE
1. produzo	produzia	produzirei
2. produzes	produzias	produzirás
3. produz	produzia	produzirá
1. produzimos	produzíamos	produziremos
2. produzis	produzíeis	produzireis
3. produzem	produziam	produzirão

PRETERITE	PERFECT	PLUPERFECT
1. produzi	tenho produzido	produzira
2. produziste	tens produzido	produziras
3. produziu	tem produzido	produzira
1. produzimos	temos produzido	produzíramos
2. produzistes	tendes produzido	produzíreis
3. produziram	têm produzido	produziram

PLUPERFECT (COMPOUND)		FUTURE PERFECT
tinha produzido *etc*		terei produzido *etc*

CONDITIONAL

IMPERATIVE

PRESENT	PERFECT	
1. produziria	teria produzido	
2. produzirias	terias produzido	produz
3. produziria	teria produzido	produza
1. produziríamos	teríamos produzido	produzamos
2. produziríeis	teríeis produzido	produzi
3. produziriam	teriam produzido	produzam

SUBJUNCTIVE

PRESENT	IMPERFECT	FUTURE
1. produza	produzisse	produzir
2. produzas	produzisses	produzires
3. produza	produzisse	produzir
1. produzamos	produzíssemos	produzirmos
2. produzais	produzísseis	produzirdes
3. produzam	produzissem	produzirem

PERFECT	PLUPERFECT	FUTURE PERFECT
tenha produzido *etc*	tivesse produzido *etc*	tiver produzido *etc*

INFINITIVE

PERSONAL INFINITIVE

PARTICIPLE

PRESENT produzir	1. produzir	1. produzirmos	PRESENT produzindo
PAST ter produzido	2. produzires	2. produzirdes	PAST produzido
	3. produzir	3. produzirem	

PRESENT	IMPERFECT	FUTURE
1. progrido	progredia	progredirei
2. progrides	progredias	progredirás
3. progride	progredia	progredirá
1. progredimos	progredíamos	progrediremos
2. progredis	progredíeis	progredireis
3. progridem	progrediam	progredirão

PRETERITE	PERFECT	PLUPERFECT
1. progredi	tenho progredido	progredira
2. progrediste	tens progredido	progrediras
3. progrediu	tem progredido	progredira
1. progredimos	temos progredido	progredíramos
2. progredistes	tendes progredido	progredíreis
3. progrediram	têm progredido	progrediram

PLUPERFECT (COMPOUND)	FUTURE PERFECT
tinha progredido *etc*	terei progredido *etc*

CONDITIONAL

IMPERATIVE

PRESENT	PERFECT	
1. progrediria	teria progredido	
2. progredirias	terias progredido	
3. progrediria	teria progredido	progride
1. progrediríamos	teríamos progredido	progrida
2. progrediríeis	teríeis progredido	progridamos
3. progrediriam	teriam progredido	progredi
		progridam

SUBJUNCTIVE

PRESENT	IMPERFECT	FUTURE
1. progrida	progredisse	progredir
2. progridas	progredisses	progredires
3. progrida	progredisse	progredir
1. progridamos	progredíssemos	progredirmos
2. progridais	progredísseis	progredirdes
3. progridam	progredissem	progredirem

PERFECT	PLUPERFECT	FUTURE PERFECT
tenha progredido *etc*	tivesse progredido *etc*	tiver progredido *etc*

INFINITIVE

PERSONAL INFINITIVE

PARTICIPLE

PRESENT progredir	1. progredir	1. progredirmos	**PRESENT** progredindo
PAST ter progredido	2. progredires	2. progredirdes	**PAST** progredido
	3. progredir	3. progredirem	

PROIBIR
170 *to prohibit, to ban*

PRESENT	IMPERFECT	FUTURE
1. proíbo	proibia	proibirei
2. proíbes	proibias	proibirás
3. proíbe	proibia	proibirá
1. proibimos	proibíamos	proibiremos
2. proibis	proibíeis	proibireis
3. proíbem	proibiam	proibirão

PRETERITE	PERFECT	PLUPERFECT
1. proibi	tenho proibido	proibira
2. proibiste	tens proibido	proibiras
3. proibiu	tem proibido	proibira
1. proibimos	temos proibido	proibíramos
2. proibistes	tendes proibido	proibíreis
3. proibiram	têm proibido	proibiram

PLUPERFECT (COMPOUND)	FUTURE PERFECT
tinha proibido *etc*	terei proibido *etc*

CONDITIONAL

IMPERATIVE

PRESENT	PERFECT	
1. proibiria	teria proibido	
2. proibirias	terias proibido	proíbe
3. proibiria	teria proibido	proíba
1. proibiríamos	teríamos proibido	proibamos
2. proibiríeis	teríeis proibido	proibi
3. proibiriam	teriam proibido	proíbam

SUBJUNCTIVE

PRESENT	IMPERFECT	FUTURE
1. proíba	proibisse	proibir
2. proíbas	proibisses	proibires
3. proíba	proibisse	proibir
1. proibamos	proibíssemos	proibirmos
2. proibais	proibísseis	proibirdes
3. proíbam	proibissem	proibirem

PERFECT	PLUPERFECT	FUTURE PERFECT
tenha proibido *etc*	tivesse proibido *etc*	tiver proibido *etc*

INFINITIVE

PERSONAL INFINITIVE

PARTICIPLE

PRESENT proibir	1. proibir	1. proibirmos
PAST ter proibido	2. proibires	2. proibirdes
	3. proibir	3. proibirem

PRESENT proibindo
PAST proibido

to protect, to defend

PRESENT	IMPERFECT	FUTURE
1. protejo	protegia	protegerei
2. proteges	protegias	protegerás
3. protege	protegia	protegerá
1. protegemos	protegíamos	protegeremos
2. protegeis	protegíeis	protegereis
3. protegem	protegiam	protegerão

PRETERITE	PERFECT	PLUPERFECT
1. protegi	tenho protegido	protegera
2. protegeste	tens protegido	protegeras
3. protegeu	tem protegido	protegera
1. protegemos	temos protegido	protegêramos
2. protegestes	tendes protegido	protegêreis
3. protegeram	têm protegido	protegeram

PLUPERFECT (COMPOUND)		FUTURE PERFECT
tinha protegido *etc*		terei protegido *etc*

CONDITIONAL

PRESENT	PERFECT
1. protegeria	teria protegido
2. protegerias	terias protegido
3. protegeria	teria protegido
1. protegeríamos	teríamos protegido
2. protegeríeis	teríeis protegido
3. protegeriam	teriam protegido

IMPERATIVE

protege
proteja
protejamos
protegei
protejam

SUBJUNCTIVE

PRESENT	IMPERFECT	FUTURE
1. proteja	protegesse	proteger
2. protejas	protegesses	protegeres
3. proteja	protegesse	proteger
1. protejamos	protegêssemos	protegermos
2. protejais	protegêsseis	protegerdes
3. protejam	protegessem	protegerem

PERFECT	PLUPERFECT	FUTURE PERFECT
tenha protegido *etc*	tivesse protegido *etc*	tiver protegido *etc*

INFINITIVE

PRESENT proteger
PAST ter protegido

PERSONAL INFINITIVE

1. proteger	1. protegermos
2. protegeres	2. protegerdes
3. proteger	3. protegerem

PARTICIPLE

PRESENT protegendo
PAST protegido

PROVAR
172 *to prove; to test*

PRESENT	IMPERFECT	FUTURE
1. provo	provava	provarei
2. provas	provavas	provarás
3. prova	provava	provará
1. provamos	provávamos	provaremos
2. provais	prováveis	provareis
3. provam	provavam	provarão

PRETERITE	PERFECT	PLUPERFECT
1. provei	tenho provado	provara
2. provaste	tens provado	provaras
3. provou	tem provado	provara
1. provámos	temos provado	prováramos
2. provastes	tendes provado	prováreis
3. provaram	têm provado	provaram

PLUPERFECT (COMPOUND)	FUTURE PERFECT
tinha provado *etc*	terei provado *etc*

CONDITIONAL

IMPERATIVE

PRESENT	PERFECT	
1. provaria	teria provado	
2. provarias	terias provado	prova
3. provaria	teria provado	prove
1. provaríamos	teríamos provado	provemos
2. provaríeis	teríeis provado	provai
3. provariam	teriam provado	provem

SUBJUNCTIVE

PRESENT	IMPERFECT	FUTURE
1. prove	provasse	provar
2. proves	provasses	provares
3. prove	provasse	provar
1. provemos	provássemos	provarmos
2. proveis	provásseis	provardes
3. provem	provassem	provarem

PERFECT	PLUPERFECT	FUTURE PERFECT
tenha provado *etc*	tivesse provado *etc*	tiver provado *etc*

INFINITIVE

PERSONAL INFINITIVE

PARTICIPLE

PRESENT provar	1. provar	1. provarmos	**PRESENT** provando
PAST ter provado	2. provares	2. provardes	**PAST** provado
	3. provar	3. provarem	

PRESENT
1. queixo
2. queixas
3. queixa
1. queixamos
2. queixais
3. queixam

IMPERFECT
queixava
queixavas
queixava
queixávamos
queixáveis
queixavam

FUTURE
queixarei
queixarás
queixará
queixaremos
queixareis
queixarão

PRETERITE
1. queixei
2. queixaste
3. queixou
1. queixámos
2. queixastes
3. queixaram

PERFECT
tenho queixado
tens queixado
tem queixado
temos queixado
tendes queixado
têm queixado

PLUPERFECT
queixara
queixaras
queixara
queixáramos
queixáreis
queixaram

PLUPERFECT (COMPOUND)
tinha queixado *etc*

FUTURE PERFECT
terei queixado *etc*

CONDITIONAL

PRESENT
1. queixaria
2. queixarias
3. queixaria
1. queixaríamos
2. queixaríeis
3. queixariam

PERFECT
teria queixado
terias queixado
teria queixado
teríamos queixado
teríeis queixado
teriam queixado

IMPERATIVE

queixa
queixe
queixemos
queixai
queixem

SUBJUNCTIVE

PRESENT
1. queixe
2. queixes
3. queixe
1. queixemos
2. queixeis
3. queixem

IMPERFECT
queixasse
queixasses
queixasse
queixássemos
queixásseis
queixassem

FUTURE
queixar
queixares
queixar
queixarmos
queixardes
queixarem

PERFECT
tenha queixado *etc*

PLUPERFECT
tivesse queixado *etc*

FUTURE PERFECT
tiver queixado *etc*

INFINITIVE

PRESENT queixar
PAST ter queixado

PERSONAL INFINITIVE

1. queixar
2. queixares
3. queixar

1. queixarmos
2. queixardes
3. queixarem

PARTICIPLE

PRESENT queixando
PAST queixado

QUERER
174 *to want, to wish*

PRESENT	IMPERFECT	FUTURE
1. quero	queria	quererei
2. queres	querias	quererás
3. quer	queria	quererá
1. queremos	queríamos	quereremos
2. quereis	queríeis	querereis
3. querem	queriam	quererão

PRETERITE	PERFECT	PLUPERFECT
1. quis	tenho querido	quisera
2. quiseste	tens querido	quiseras
3. quis	tem querido	quisera
1. quisemos	temos querido	quiséramos
2. quisestes	tendes querido	quiséreis
3. quiseram	têm querido	quiseram

PLUPERFECT (COMPOUND)		FUTURE PERFECT
tinha querido *etc*		terei querido *etc*

CONDITIONAL

IMPERATIVE

PRESENT	PERFECT	
1. quereria	teria querido	
2. quererias	terias querido	
3. quereria	teria querido	quer (quere)
1. quereríamos	teríamos querido	queira
2. quereríeis	teríeis querido	queiramos
3. quereriam	teriam querido	querei
		queiram

SUBJUNCTIVE

PRESENT	IMPERFECT	FUTURE
1. queira	quisesse	quiser
2. queiras	quisesses	quiseres
3. queira	quisesse	quiser
1. queiramos	quiséssemos	quisermos
2. queirais	quisésseis	quiserdes
3. queiram	quisessem	quiserem

PERFECT	PLUPERFECT	FUTURE PERFECT
tenha querido *etc*	tivesse querido *etc*	tiver querido *etc*

INFINITIVE

PERSONAL INFINITIVE

PARTICIPLE

PRESENT querer	1. querer	1. querermos	PRESENT querendo	
PAST ter querido	2. quereres	2. quererdes	PAST querido	
	3. querer	3. quererem		

PRESENT
1. recebo
2. recebes
3. recebe
1. recebemos
2. recebeis
3. recebem

IMPERFECT
recebia
recebias
recebia
recebíamos
recebíeis
recebiam

FUTURE
receberei
receberás
receberá
receberemos
recebereis
receberão

PRETERITE
1. recebi
2. recebeste
3. recebeu
1. recebemos
2. recebestes
3. receberam

PERFECT
tenho recebido
tens recebido
tem recebido
temos recebido
tendes recebido
têm recebido

PLUPERFECT
recebera
receberas
recebera
recebêramos
recebêreis
receberam

PLUPERFECT (COMPOUND)
tinha recebido *etc*

FUTURE PERFECT
terei recebido *etc*

CONDITIONAL

IMPERATIVE

PRESENT
1. receberia
2. receberias
3. receberia
1. receberíamos
2. receberíeis
3. receberiam

PERFECT
teria recebido
terias recebido
teria recebido
teríamos recebido
teríeis recebido
teriam recebido

recebe
receba
recebamos
recebei
recebam

SUBJUNCTIVE

PRESENT
1. receba
2. recebas
3. receba
1. recebamos
2. recebais
3. recebam

IMPERFECT
recebesse
recebesses
recebesse
recebêssemos
recebêsseis
recebessem

FUTURE
receber
receberes
receber
recebermos
receberdes
receberem

PERFECT
tenha recebido *etc*

PLUPERFECT
tivesse recebido *etc*

FUTURE PERFECT
tiver recebido *etc*

INFINITIVE

PERSONAL INFINITIVE

PARTICIPLE

PRESENT receber
PAST ter recebido

1. receber
2. receberes
3. receber

1. recebermos
2. receberdes
3. receberem

PRESENT recebendo
PAST recebido

REDUZIR
176 *to reduce*

PRESENT	IMPERFECT	FUTURE
1. reduzo	reduzia	reduzirei
2. reduzes	reduzias	reduzirás
3. reduz	reduzia	reduzirá
1. reduzimos	reduzíamos	reduziremos
2. reduzis	reduzíeis	reduzireis
3. reduzem	reduziam	reduzirão

PRETERITE	PERFECT	PLUPERFECT
1. reduzi	tenho reduzido	reduzira
2. reduziste	tens reduzido	reduziras
3. reduziu	tem reduzido	reduzira
1. reduzimos	temos reduzido	reduzíramos
2. reduzistes	tendes reduzido	reduzíreis
3. reduziram	têm reduzido	reduziram

PLUPERFECT (COMPOUND)		FUTURE PERFECT
tinha reduzido *etc*		terei reduzido *etc*

CONDITIONAL

IMPERATIVE

PRESENT	PERFECT	
1. reduziria	teria reduzido	
2. reduzirias	terias reduzido	
3. reduziria	teria reduzido	reduz
1. reduziríamos	teríamos reduzido	reduza
2. reduziríeis	teríeis reduzido	reduzamos
3. reduziriam	teriam reduzido	reduzi
		reduzam

SUBJUNCTIVE

PRESENT	IMPERFECT	FUTURE
1. reduza	reduzisse	reduzir
2. reduzas	reduzisses	reduzires
3. reduza	reduzisse	reduzir
1. reduzamos	reduzíssemos	reduzirmos
2. reduzais	reduzísseis	reduzirdes
3. reduzam	reduzissem	reduzirem

PERFECT	PLUPERFECT	FUTURE PERFECT
tenha reduzido *etc*	tivesse reduzido *etc*	tiver reduzido *etc*

INFINITIVE	PERSONAL INFINITIVE		PARTICIPLE
PRESENT reduzir	1. reduzir	1. reduzirmos	PRESENT reduzindo
PAST ter reduzido	2. reduzires	2. reduzirdes	PAST reduzido
	3. reduzir	3. reduzirem	

PRESENT	IMPERFECT	FUTURE
1. renovo	renovava	renovarei
2. renovas	renovavas	renovarás
3. renova	renovava	renovará
1. renovamos	renovávamos	renovaremos
2. renovais	renováveis	renovareis
3. renovam	renovavam	renovarão

PRETERITE	PERFECT	PLUPERFECT
1. renovei	tenho renovado	renovara
2. renovaste	tens renovado	renovaras
3. renovou	tem renovado	renovara
1. renovámos	temos renovado	renováramos
2. renovastes	tendes renovado	renováreis
3. renovaram	têm renovado	renovaram

PLUPERFECT (COMPOUND)		FUTURE PERFECT
tinha renovado *etc*		terei renovado *etc*

CONDITIONAL

IMPERATIVE

PRESENT	PERFECT	
1. renovaria	teria renovado	
2. renovarias	terias renovado	renova
3. renovaria	teria renovado	renove
1. renovaríamos	teríamos renovado	renovemos
2. renovaríeis	teríeis renovado	renovai
3. renovariam	teriam renovado	renovem

SUBJUNCTIVE

PRESENT	IMPERFECT	FUTURE
1. renove	renovasse	renovar
2. renoves	renovasses	renovares
3. renove	renovasse	renovar
1. renovemos	renovássemos	renovarmos
2. renoveis	renovásseis	renovardes
3. renovem	renovassem	renovarem

PERFECT	PLUPERFECT	FUTURE PERFECT
tenha renovado *etc*	tivesse renovado *etc*	tiver renovado *etc*

INFINITIVE

PERSONAL INFINITIVE

PARTICIPLE

PRESENT renovar	1. renovar	1. renovarmos	PRESENT renovando
PAST ter renovado	2. renovares	2. renovardes	PAST renovado
	3. renovar	3. renovarem	

REPETIR
178 *to repeat*

PRESENT	IMPERFECT	FUTURE
1. repito	repetia	repetirei
2. repetes	repetias	repetirás
3. repete	repetia	repetirá
1. repetimos	repetíamos	repetiremos
2. repetis	repetíeis	repetireis
3. repetem	repetiam	repetirão

PRETERITE	PERFECT	PLUPERFECT
1. repeti	tenho repetido	repetira
2. repetiste	tens repetido	repetiras
3. repetiu	tem repetido	repetira
1. repetimos	temos repetido	repetíramos
2. repetistes	tendes repetido	repetíreis
3. repetiram	têm repetido	repetiram

PLUPERFECT (COMPOUND)		FUTURE PERFECT
tinha repetido *etc*		terei repetido *etc*

CONDITIONAL

IMPERATIVE

PRESENT	PERFECT	
1. repetiria	teria repetido	
2. repetirias	terias repetido	repete
3. repetiria	teria repetido	repita
1. repetiríamos	teríamos repetido	repitamos
2. repetiríeis	teríeis repetido	repeti
3. repetiriam	teriam repetido	repitam

SUBJUNCTIVE

PRESENT	IMPERFECT	FUTURE
1. repita	repetisse	repetir
2. repitas	repetisses	repetires
3. repita	repetisse	repetir
1. repitamos	repetíssemos	repetirmos
2. repitais	repetísseis	repetirdes
3. repitam	repetissem	repetirem

PERFECT	PLUPERFECT	FUTURE PERFECT
tenha repetido *etc*	tivesse repetido *etc*	tiver repetido *etc*

INFINITIVE

PERSONAL INFINITIVE

PARTICIPLE

PRESENT repetir	1. repetir	1. repetirmos	PRESENT repetindo
PAST ter repetido	2. repetires	2. repetirdes	PAST repetido
	3. repetir	3. repetirem	

PRESENT	IMPERFECT	FUTURE
1. respondo	respondia	responderei
2. respondes	respondias	responderás
3. responde	respondia	responderá
1. respondemos	respondíamos	responderemos
2. respondeis	respondíeis	respondereis
3. respondem	respondiam	responderão

PRETERITE	PERFECT	PLUPERFECT
1. respondi	tenho respondido	respondera
2. respondeste	tens respondido	responderas
3. respondeu	tem respondido	respondera
1. respondemos	temos respondido	respondêramos
2. respondestes	tendes respondido	respondêreis
3. responderam	têm respondido	responderam

PLUPERFECT (COMPOUND)
tinha respondido *etc*

FUTURE PERFECT
terei respondido *etc*

CONDITIONAL

IMPERATIVE

PRESENT	PERFECT	
1. responderia	teria respondido	
2. responderias	terias respondido	
3. responderia	teria respondido	responde
1. responderíamos	teríamos respondido	resonda
2. responderíeis	teríeis respondido	respondamos
3. responderiam	teriam respondido	respondei
		respondam

SUBJUNCTIVE

PRESENT	IMPERFECT	FUTURE
1. responda	respondesse	responder
2. respondas	respondesses	responderes
3. responda	respondesse	responder
1. respondamos	respondêssemos	respondermos
2. respondais	respondêsseis	responderdes
3. respondam	respondessem	responderem

PERFECT	PLUPERFECT	FUTURE PERFECT
tenha respondido *etc*	tivesse respondido *etc*	tiver respondido *etc*

INFINITIVE

PRESENT responder

PAST ter respondido

PERSONAL INFINITIVE

1. responder	1. respondermos
2. responderes	2. responderdes
3. responder	3. responderem

PARTICIPLE

PRESENT respondendo

PAST respondido

PRESENT	**IMPERFECT**	**FUTURE**
1. rio	ria	rirei
2. ris	rias	rirás
3. ri	ria	rirá
1. rimos	ríamos	riremos
2. ris	ríeis	rireis
3. riem	riam	rirão

PRETERITE	**PERFECT**	**PLUPERFECT**
1. ri	tenho rido	rira
2. riste	tens rido	riras
3. riu	tem rido	rira
1. rimos	temos rido	ríramos
2. ristes	tendes rido	ríreis
3. riram	têm rido	riram

PLUPERFECT (COMPOUND)	**FUTURE PERFECT**
tinha rido *etc*	terei rido *etc*

CONDITIONAL

IMPERATIVE

PRESENT	**PERFECT**	
1. riria	teria rido	
2. ririas	terias rido	ri
3. riria	teria rido	ria
1. riríamos	teríamos rido	riamos
2. riríeis	teríeis rido	ride
3. ririam	teriam rido	riam

SUBJUNCTIVE

PRESENT	**IMPERFECT**	**FUTURE**
1. ria	risse	rir
2. rias	risses	rires
3. ria	risse	rir
1. riamos	ríssemos	rirmos
2. riais	rísseis	rirdes
3. riam	rissem	rirem

PERFECT	**PLUPERFECT**	**FUTURE PERFECT**
tenha rido *etc*	tivesse rido *etc*	tiver rido *etc*

INFINITIVE

PERSONAL INFINITIVE

PARTICIPLE

PRESENT rir	1. rir	1. rirmos	**PRESENT** rindo
PAST ter rido	2. rires	2. rirdes	**PAST** rido
	3. rir	3. rirem	

PRESENT	IMPERFECT	FUTURE
1. sei	sabia	saberei
2. sabes	sabias	saberás
3. sabe	sabia	saberá
1. sabemos	sabíamos	saberemos
2. sabeis	sabíeis	sabereis
3. sabem	sabiam	saberão

PRETERITE	PERFECT	PLUPERFECT
1. soube	tenho sabido	soubera
2. soubeste	tens sabido	souberas
3. soube	tem sabido	soubera
1. soubemos	temos sabido	soubéramos
2. soubestes	tendes sabido	soubéreis
3. souberam	têm sabido	souberam

PLUPERFECT (COMPOUND)		FUTURE PERFECT
tinha sabido *etc*		terei sabido *etc*

CONDITIONAL

IMPERATIVE

PRESENT	PERFECT	
1. saberia	teria sabido	
2. saberias	terias sabido	sabe
3. saberia	teria sabido	saiba
1. saberíamos	teríamos sabido	saibamos
2. saberíeis	teríeis sabido	sabei
3. saberiam	teriam sabido	saibam

SUBJUNCTIVE

PRESENT	IMPERFECT	FUTURE
1. saiba	soubesse	souber
2. saibas	soubesses	souberes
3. saiba	soubesse	souber
1. saibamos	soubéssemos	soubermos
2. saibais	soubésseis	souberdes
3. saibam	soubessem	souberem

PERFECT	PLUPERFECT	FUTURE PERFECT
tenha sabido *etc*	tivesse sabido *etc*	tiver sabido *etc*

INFINITIVE

PERSONAL INFINITIVE

PARTICIPLE

PRESENT saber	1. saber	1. sabermos	PRESENT sabendo
PAST ter sabido	2. saberes	2. saberdes	PAST sabido
	3. saber	3. saberem	

to go out; to leave; to come/get out

PRESENT	IMPERFECT	FUTURE
1. saio	saía	sairei
2. sais	saías	sairás
3. sai	saía	sairá
1. saímos	saíamos	sairemos
2. saís	saíeis	saireis
3. saem	saíam	sairão

PRETERITE	PERFECT	PLUPERFECT
1. saí	tenho saído	saíra
2. saíste	tens saído	saíras
3. saiu	tem saído	saíra
1. saímos	temos saído	saíramos
2. saístes	tendes saído	saíreis
3. saíram	têm saído	saíram

PLUPERFECT (COMPOUND)	FUTURE PERFECT
tinha saído *etc*	terei saído *etc*

CONDITIONAL

IMPERATIVE

PRESENT	PERFECT	
1. sairia	teria saído	
2. sairias	terias saído	sai
3. sairia	teria saído	saia
1. sairíamos	teríamos saído	saiamos
2. sairíeis	teríeis saído	saí
3. sairiam	teriam saído	saiam

SUBJUNCTIVE

PRESENT	IMPERFECT	FUTURE
1. saia	saísse	sair
2. saias	saísses	saíres
3. saia	saísse	sair
1. saiamos	saíssemos	sairmos
2. saiais	saísseis	sairdes
3. saiam	saíssem	saírem

PERFECT	PLUPERFECT	FUTURE PERFECT
tenha saído *etc*	tivesse saído *etc*	tiver saído *etc*

INFINITIVE

PERSONAL INFINITIVE

PARTICIPLE

PRESENT sair	1. sair	1. sairmos	PRESENT saindo
PAST ter saído	2. saíres	2. sairdes	PAST saído
	3. sair	3. saírem	

PRESENT
1. satisfaço
2. satisfazes
3. satisfaz
1. satisfazemos
2. satisfazeis
3. satisfazem

IMPERFECT
satisfazia
satisfazias
satisfazia
satisfazíamos
satisfazíeis
satisfaziam

FUTURE
satisfarei
satisfarás
satisfará
satisfaremos
satisfareis
satisfarão

PRETERITE
1. satisfiz
2. satisfizeste
3. satisfez
1. satisfizemos
2. satisfizestes
3. satisfizeram

PERFECT
tenho satisfeito
tens satisfeito
tem satisfeito
temos satisfeito
tendes satisfeito
têm satisfeito

PLUPERFECT
satisfizera
satisfizeras
satisfizera
satisfizéramos
satisfizéreis
satisfizeram

PLUPERFECT (COMPOUND)
tinha satisfeito *etc*

FUTURE PERFECT
terei satisfeito *etc*

CONDITIONAL

PRESENT
1. satisfaria
2. satisfarias
3. satisfaria
1. satisfaríamos
2. satisfaríeis
3. satisfariam

PERFECT
teria satisfeito
terias satisfeito
teria satisfeito
teríamos satisfeito
teríeis satisfeito
teriam satisfeito

IMPERATIVE

satisfaz
satisfaça
satisfaçamos
satisfazei
satisfaçam

SUBJUNCTIVE

PRESENT
1. satisfaça
2. satisfaças
3. satisfaça
1. satisfaçamos
2. satisfaçais
3. satisfaçam

IMPERFECT
satisfizesse
satisfizesses
satisfizesse
satisfizéssemos
satisfizésseis
satisfizessem

FUTURE
satisfizer
satisfizeres
satisfizer
satisfizermos
satisfizerdes
satisfizerem

PERFECT
tenha satisfeito *etc*

PLUPERFECT
tivesse satisfeito *etc*

FUTURE PERFECT
tiver satisfeito *etc*

INFINITIVE

PRESENT satisfazer
PAST ter satisfeito

PERSONAL INFINITIVE

1. satisfazer
2. satisfazeres
3. satisfazer
1. satisfazermos
2. satisfazerdes
3. satisfazerem

PARTICIPLE

PRESENT satisfazendo
PAST satisfeito

PRESENT	IMPERFECT	FUTURE
1. seco	secava	secarei
2. secas	secavas	secarás
3. seca	secava	secará
1. secamos	secávamos	secaremos
2. secais	secáveis	secareis
3. secam	secavam	secarão

PRETERITE	PERFECT	PLUPERFECT
1. sequei	tenho secado	secara
2. secaste	tens secado	secaras
3. secou	tem secado	secara
1. secámos	temos secado	secáramos
2. secastes	tendes secado	secáreis
3. secaram	têm secado	secaram

PLUPERFECT (COMPOUND)	FUTURE PERFECT
tinha secado *etc*	terei secado *etc*

CONDITIONAL

IMPERATIVE

PRESENT	PERFECT	
1. secaria	teria secado	
2. secarias	terias secado	seca
3. secaria	teria secado	seque
1. secaríamos	teríamos secado	sequemos
2. secaríeis	teríeis secado	secai
3. secariam	teriam secado	sequem

SUBJUNCTIVE

PRESENT	IMPERFECT	FUTURE
1. seque	secasse	secar
2. seques	secasses	secares
3. seque	secasse	secar
1. sequemos	secássemos	secarmos
2. sequeis	secásseis	secardes
3. sequem	secassem	secarem

PERFECT	PLUPERFECT	FUTURE PERFECT
tenha secado *etc*	tivesse secado *etc*	tiver secado *etc*

INFINITIVE

PERSONAL INFINITIVE

PARTICIPLE

INFINITIVE	PERSONAL INFINITIVE		PARTICIPLE
PRESENT secar	1. secar	1. secarmos	PRESENT secando
PAST ter secado	2. secares	2. secardes	PAST secado
	3. secar	3. secarem	

PRESENT	**IMPERFECT**	**FUTURE**
1. sigo	seguia	seguirei
2. segues	seguias	seguirás
3. segue	seguia	seguirá
1. seguimos	seguíamos	seguiremos
2. seguis	seguíeis	seguireis
3. seguem	seguiam	seguirão

PRETERITE	**PERFECT**	**PLUPERFECT**
1. segui	tenho seguido	seguira
2. seguiste	tens seguido	seguiras
3. seguiu	tem seguido	seguira
1. seguimos	temos seguido	seguíramos
2. seguistes	tendes seguido	seguíreis
3. seguiram	têm seguido	seguiram

PLUPERFECT (COMPOUND)
tinha seguido *etc*

FUTURE PERFECT
terei seguido *etc*

CONDITIONAL

IMPERATIVE

PRESENT	**PERFECT**	
1. seguiria	teria seguido	
2. seguirias	terias seguido	segue
3. seguiria	teria seguido	siga
1. seguiríamos	teríamos seguido	sigamos
2. seguiríeis	teríeis seguido	segui
3. seguiriam	teriam seguido	sigam

SUBJUNCTIVE

PRESENT	**IMPERFECT**	**FUTURE**
1. siga	seguisse	seguir
2. sigas	seguisses	seguires
3. siga	seguisse	seguir
1. sigamos	seguíssemos	seguirmos
2. sigais	seguísseis	seguirdes
3. sigam	seguissem	seguirem

PERFECT	**PLUPERFECT**	**FUTURE PERFECT**
tenha seguido *etc*	tivesse seguido *etc*	tiver seguido *etc*

INFINITIVE

PERSONAL INFINITIVE

PARTICIPLE

PRESENT seguir
PAST ter seguido

1. seguir	1. seguirmos
2. seguires	2. seguirdes
3. seguir	3. seguirem

PRESENT seguindo
PAST seguido

PRESENT	IMPERFECT	FUTURE
1. sento-me	sentava-me	sentar-me-ei
2. sentas-te	sentavas-te	sentar-te-ás
3. senta-se	sentava-se	sentar-se-á
1. sentamo-nos	sentávamo-nos	sentar-nos-emos
2. sentais-vos	sentáveis-vos	sentar-vos-eis
3. sentam-se	sentavam-se	sentar-se-ão

PRETERITE	PERFECT	PLUPERFECT
1. sentei-me	tenho-me sentado	sentara-me
2. sentaste-te	tens-te sentado	sentaras-te
3. sentou-se	tem-se sentado	sentara-se
1. sentámo-nos	temo-nos sentado	sentáramo-nos
2. sentastes-vos	tendes-vos sentado	sentáreis-vos
3. sentaram-se	têm-se sentado	sentaram-se

PLUPERFECT (COMPOUND)		FUTURE PERFECT
tinha-me sentado *etc*		ter-me-ei sentado *etc*

CONDITIONAL

PRESENT	PERFECT
1. sentar-me-ia	ter-me-ia sentado
2. sentar-te-ias	ter-te-ias sentado
3. sentar-se-ia	ter-se-ia sentado
1. sentar-nos-íamos	ter-nos-íamos sentado
2. sentar-vos-íeis	ter-vos-íeis sentado
3. sentar-se-iam	ter-se-iam sentado

IMPERATIVE

senta-te
sente-se
sentemo-nos
sentai-vos
sentem-se

SUBJUNCTIVE

PRESENT	IMPERFECT	FUTURE
1. me sente	me sentasse	me sentar
2. te sentes	te sentasses	te sentares
3. se sente	se sentasse	se sentar
1. nos sentemos	nos sentássemos	nos sentarmos
2. vos senteis	vos sentásseis	vos sentardes
3. se sentem	se sentassem	se sentarem

PERFECT	PLUPERFECT	FUTURE PERFECT
me tenha sentado *etc*	me tivesse sentado *etc*	me tiver sentado *etc*

INFINITIVE

PRESENT sentar-se
PAST ter-se sentado

PERSONAL INFINITIVE

1. me sentar	1. nos sentarmos
2. te sentares	2. vos sentardes
3. se sentar	3. se sentarem

PARTICIPLE

PRESENT sentando-se
PAST sentado

PRESENT	IMPERFECT	FUTURE
1. sinto	sentia	sentirei
2. sentes	sentias	sentirás
3. sente	sentia	sentirá
1. sentimos	sentíamos	sentiremos
2. sentis	sentíeis	sentireis
3. sentem	sentiam	sentirão

PRETERITE	PERFECT	PLUPERFECT
1. senti	tenho sentido	sentira
2. sentiste	tens sentido	sentiras
3. sentiu	tem sentido	sentira
1. sentimos	temos sentido	sentíramos
2. sentistes	tendes sentido	sentíreis
3. sentiram	têm sentido	sentiram

PLUPERFECT (COMPOUND)	FUTURE PERFECT
tinha sentido *etc*	terei sentido *etc*

CONDITIONAL

IMPERATIVE

PRESENT	PERFECT	
1. sentiria	teria sentido	
2. sentirias	terias sentido	
3. sentiria	teria sentido	sente
1. sentiríamos	teríamos sentido	sinta
2. sentiríeis	teríeis sentido	sintamos
3. sentiriam	teriam sentido	senti
		sintam

SUBJUNCTIVE

PRESENT	IMPERFECT	FUTURE
1. sinta	sentisse	sentir
2. sintas	sentisses	sentires
3. sinta	sentisse	sentir
1. sintamos	sentíssemos	sentirmos
2. sintais	sentísseis	sentirdes
3. sintam	sentissem	sentirem

PERFECT	PLUPERFECT	FUTURE PERFECT
tenha sentido *etc*	tivesse sentido *etc*	tiver sentido *etc*

INFINITIVE

PERSONAL INFINITIVE

PARTICIPLE

PRESENT sentir	1. sentir	1. sentirmos	PRESENT sentindo
PAST ter sentido	2. sentires	2. sentirdes	PAST sentido
	3. sentir	3. sentirem	

PRESENT	IMPERFECT	FUTURE
1. sou	era	serei
2. és	eras	serás
3. é	era	será
1. somos	éramos	seremos
2. sois	éreis	sereis
3. são	eram	serão

PRETERITE	PERFECT	PLUPERFECT
1. fui	tenho sido	fora
2. foste	tens sido	foras
3. foi	tem sido	fora
1. fomos	temos sido	fôramos
2. fostes	tendes sido	fôreis
3. foram	têm sido	foram

PLUPERFECT (COMPOUND)	FUTURE PERFECT
tinha sido *etc*	terei sido *etc*

CONDITIONAL

IMPERATIVE

PRESENT	PERFECT	
1. seria	teria sido	
2. serias	terias sido	sê
3. seria	teria sido	seja
1. seríamos	teríamos sido	sejamos
2. seríeis	teríeis sido	sede
3. seriam	teriam sido	sejam

SUBJUNCTIVE

PRESENT	IMPERFECT	FUTURE
1. seja	fosse	for
2. sejas	fosses	fores
3. seja	fosse	for
1. sejamos	fôssemos	formos
2. sejais	fôsseis	fordes
3. sejam	fossem	forem

PERFECT	PLUPERFECT	FUTURE PERFECT
tenha sido *etc*	tivesse sido *etc*	tiver sido *etc*

INFINITIVE

PERSONAL INFINITIVE

PARTICIPLE

PRESENT ser	1. ser	1. sermos	PRESENT sendo
PAST ter sido	2. seres	2. serdes	PAST sido
	3. ser	3. serem	

PRESENT	IMPERFECT	FUTURE
1. sirvo	servia	servirei
2. serves	servias	servirás
3. serve	servia	servirá
1. servimos	servíamos	serviremos
2. servis	servíeis	servireis
3. servem	serviam	servirão

PRETERITE	PERFECT	PLUPERFECT
1. servi	tenho servido	servira
2. serviste	tens servido	serviras
3. serviu	tem servido	servira
1. servimos	temos servido	servíramos
2. servistes	tendes servido	servíreis
3. serviram	têm servido	serviram

PLUPERFECT (COMPOUND)
tinha servido *etc*

FUTURE PERFECT
terei servido *etc*

CONDITIONAL

PRESENT	PERFECT
1. serviria	teria servido
2. servirias	terias servido
3. serviria	teria servido
1. serviríamos	teríamos servido
2. serviríeis	teríeis servido
3. serviriam	teriam servido

IMPERATIVE

serve
sirva
sirvamos
servi
sirvam

SUBJUNCTIVE

PRESENT	IMPERFECT	FUTURE
1. sirva	servisse	servir
2. sirvas	servisses	servires
3. sirva	servisse	servir
1. sirvamos	servíssemos	servirmos
2. sirvais	servísseis	servirdes
3. sirvam	servissem	servirem

PERFECT	PLUPERFECT	FUTURE PERFECT
tenha servido *etc*	tivesse servido *etc*	tiver servido *etc*

INFINITIVE

PRESENT servir

PAST ter servido

PERSONAL INFINITIVE

1. servir	1. servirmos
2. servires	2. servirdes
3. servir	3. servirem

PARTICIPLE

PRESENT servindo

PAST servido

PRESENT	IMPERFECT	FUTURE
1. sonho	sonhava	sonharei
2. sonhas	sonhavas	sonharás
3. sonha	sonhava	sonhará
1. sonhamos	sonhávamos	sonharemos
2. sonhais	sonháveis	sonhareis
3. sonham	sonhavam	sonharão

PRETERITE	PERFECT	PLUPERFECT
1. sonhei	tenho sonhado	sonhara
2. sonhaste	tens sonhado	sonharas
3. sonhou	tem sonhado	sonhara
1. sonhámos	temos sonhado	sonháramos
2. sonhastes	tendes sonhado	sonháreis
3. sonharam	têm sonhado	sonharam

PLUPERFECT (COMPOUND)		FUTURE PERFECT
tinha sonhado *etc*		terei sonhado *etc*

CONDITIONAL

IMPERATIVE

PRESENT	PERFECT	
1. sonharia	teria sonhado	
2. sonharias	terias sonhado	sonha
3. sonharia	teria sonhado	sonhe
1. sonharíamos	teríamos sonhado	sonhemos
2. sonharíeis	teríeis sonhado	sonhai
3. sonhariam	teriam sonhado	sonhem

SUBJUNCTIVE

PRESENT	IMPERFECT	FUTURE
1. sonhe	sonhasse	sonhar
2. sonhes	sonhasses	sonhares
3. sonhe	sonhasse	sonhar
1. sonhemos	sonhássemos	sonharmos
2. sonheis	sonhásseis	sonhardes
3. sonhem	sonhassem	sonharem

PERFECT	PLUPERFECT	FUTURE PERFECT
tenha sonhado *etc*	tivesse sonhado *etc*	tiver sonhado *etc*

INFINITIVE

PERSONAL INFINITIVE

PARTICIPLE

PRESENT sonhar	1. sonhar	1. sonharmos	**PRESENT** sonhando
PAST ter sonhado	2. sonhares	2. sonhardes	**PAST** sonhado
	3. sonhar	3. sonharem	

PRESENT	**IMPERFECT**	**FUTURE**
1. subo	subia	subirei
2. sobes	subias	subirás
3. sobe	subia	subirá
1. subimos	subíamos	subiremos
2. subis	subíeis	subireis
3. sobem	subiam	subirão

PRETERITE	**PERFECT**	**PLUPERFECT**
1. subi	tenho subido	subira
2. subiste	tens subido	subiras
3. subiu	tem subido	subira
1. subimos	temos subido	subíramos
2. subistes	tendes subido	subíreis
3. subiram	têm subido	subiram

PLUPERFECT (COMPOUND)	**FUTURE PERFECT**
tinha subido *etc*	terei subido *etc*

CONDITIONAL

IMPERATIVE

PRESENT	**PERFECT**	
1. subiria	teria subido	
2. subirias	terias subido	
3. subiria	teria subido	sobe
1. subiríamos	teríamos subido	suba
2. subiríeis	teríeis subido	subamos
3. subiriam	teriam subido	subi
		subam

SUBJUNCTIVE

PRESENT	**IMPERFECT**	**FUTURE**
1. suba	subisse	subir
2. subas	subisses	subires
3. suba	subisse	subir
1. subamos	subíssemos	subirmos
2. subais	subísseis	subirdes
3. subam	subissem	subirem

PERFECT	**PLUPERFECT**	**FUTURE PERFECT**
tenha subido *etc*	tivesse subido *etc*	tiver subido *etc*

INFINITIVE

PERSONAL INFINITIVE

PARTICIPLE

PRESENT subir	1. subir	1. subirmos	**PRESENT** subindo
PAST ter subido	2. subires	2. subirdes	**PAST** subido
	3. subir	3. subirem	

PRESENT	**IMPERFECT**	**FUTURE**
1. sugiro	sugeria	sugerirei
2. sugeres	sugerias	sugerirás
3. sugere	sugeria	sugerirá
1. sugerimos	sugeríamos	sugeriremos
2. sugeris	sugeríeis	sugerireis
3. sugerem	sugeriam	sugerirão

PRETERITE	**PERFECT**	**PLUPERFECT**
1. sugeri	tenho sugerido	sugerira
2. sugeriste	tens sugerido	sugeriras
3. sugeriu	tem sugerido	sugerira
1. sugerimos	temos sugerido	sugeríramos
2. sugeristes	tendes sugerido	sugeríreis
3. sugeriram	têm sugerido	sugeriram

PLUPERFECT (COMPOUND)	**FUTURE PERFECT**
tinha sugerido *etc*	terei sugerido *etc*

CONDITIONAL

IMPERATIVE

PRESENT	**PERFECT**	
1. sugeriria	teria sugerido	
2. sugeririas	terias sugerido	sugere
3. sugeriria	teria sugerido	sugira
1. sugeriríamos	teríamos sugerido	sugiramos
2. sugeriríeis	teríeis sugerido	sugeri
3. sugeririam	teriam sugerido	sugiram

SUBJUNCTIVE

PRESENT	**IMPERFECT**	**FUTURE**
1. sugira	sugerisse	sugerir
2. sugiras	sugerisses	sugerires
3. sugira	sugerisse	sugerir
1. sugiramos	sugeríssemos	sugerirmos
2. sugirais	sugerísseis	sugerirdes
3. sugiram	sugerissem	sugerirem

PERFECT	**PLUPERFECT**	**FUTURE PERFECT**
tenha sugerido *etc*	tivesse sugerido *etc*	tiver sugerido *etc*

INFINITIVE

PERSONAL INFINITIVE

PARTICIPLE

PRESENT sugerir	1. sugerir	1. sugerirmos	**PRESENT** sugerindo
PAST ter sugerido	2. sugerires	2. sugerirdes	**PAST** sugerido
	3. sugerir	3. sugerirem	

PRESENT
1. sumo
2. somes
3. some
1. sumimos
2. sumis
3. somem

IMPERFECT
sumia
sumias
sumia
sumíamos
sumíeis
sumiam

FUTURE
sumirei
sumirás
sumirá
sumiremos
sumireis
sumirão

PRETERITE
1. sumi
2. sumiste
3. sumiu
1. sumimos
2. sumistes
3. sumiram

PERFECT
tenho sumido
tens sumido
tem sumido
temos sumido
tendes sumido
têm sumido

PLUPERFECT
sumira
sumiras
sumira
sumíramos
sumíreis
sumiram

PLUPERFECT (COMPOUND)
tinha sumido *etc*

FUTURE PERFECT
terei sumido *etc*

CONDITIONAL

PRESENT
1. sumiria
2. sumirias
3. sumiria
1. sumiríamos
2. sumiríeis
3. sumiriam

PERFECT
teria sumido
terias sumido
teria sumido
teríamos sumido
teríeis sumido
teriam sumido

IMPERATIVE

some
suma
sumamos
sumi
sumam

SUBJUNCTIVE

PRESENT
1. suma
2. sumas
3. suma
1. sumamos
2. sumais
3. sumam

IMPERFECT
sumisse
sumisses
sumisse
sumíssemos
sumísseis
sumissem

FUTURE
sumir
sumires
sumir
sumirmos
sumirdes
sumirem

PERFECT
tenha sumido *etc*

PLUPERFECT
tivesse sumido *etc*

FUTURE PERFECT
tiver sumido *etc*

INFINITIVE

PRESENT sumir
PAST ter sumido

PERSONAL INFINITIVE

1. sumir
2. sumires
3. sumir
1. sumirmos
2. sumirdes
3. sumirem

PARTICIPLE

PRESENT sumindo
PAST sumido

TELEFONAR
194 *to telephone, to call*

PRESENT	IMPERFECT	FUTURE
1. telefono	telefonava	telefonarei
2. telefonas	telefonavas	telefonarás
3. telefona	telefonava	telefonará
1. telefonamos	telefonávamos	telefonaremos
2. telefonais	telefonáveis	telefonareis
3. telefonam	telefonavam	telefonarão

PRETERITE	PERFECT	PLUPERFECT
1. telefonei	tenho telefonado	telefonara
2. telefonaste	tens telefonado	telefonaras
3. telefonou	tem telefonado	telefonara
1. telefonámos	temos telefonado	telefonáramos
2. telefonastes	tendes telefonado	telefonáreis
3. telefonaram	têm telefonado	telefonaram

PLUPERFECT (COMPOUND)	FUTURE PERFECT
tinha telefonado *etc*	terei telefonado *etc*

CONDITIONAL

IMPERATIVE

PRESENT	PERFECT	
1. telefonaria	teria telefonado	
2. telefonarias	terias telefonado	telefona
3. telefonaria	teria telefonado	telefone
1. telefonaríamos	teríamos telefonado	telefonemos
2. telefonaríeis	teríeis telefonado	telefonai
3. telefonariam	teriam telefonado	telefonem

SUBJUNCTIVE

PRESENT	IMPERFECT	FUTURE
1. telefone	telefonasse	telefonar
2. telefones	telefonasses	telefonares
3. telefone	telefonasse	telefonar
1. telefonemos	telefonássemos	telefonarmos
2. telefoneis	telefonásseis	telefonardes
3. telefonem	telefonassem	telefonarem

PERFECT	PLUPERFECT	FUTURE PERFECT
tenha telefonado *etc*	tivesse telefonado *etc*	tiver telefonado *etc*

INFINITIVE

PERSONAL INFINITIVE

PARTICIPLE

PRESENT telefonar	1. telefonar	1. telefonarmos	PRESENT telefonando
PAST ter telefonado	2. telefonares	2. telefonardes	PAST telefonado
	3. telefonar	3. telefonarem	

PRESENT	**IMPERFECT**	**FUTURE**
1. tenho	tinha	terei
2. tens	tinhas	terás
3. tem	tinha	terá
1. temos	tínhamos	teremos
2. tendes	tínheis	tereis
3. têm	tinham	terão

PRETERITE	**PERFECT**	**PLUPERFECT**
1. tive	tenho tido	tivera
2. tiveste	tens tido	tiveras
3. teve	tem tido	tivera
1. tivemos	temos tido	tivéramos
2. tivestes	tendes tido	tivéreis
3. tiveram	têm tido	tiveram

PLUPERFECT (COMPOUND)
tinha tido *etc*

FUTURE PERFECT
terei tido *etc*

CONDITIONAL

IMPERATIVE

PRESENT	**PERFECT**	
1. teria	teria tido	
2. terias	terias tido	tem
3. teria	teria tido	tenha
1. teríamos	teríamos tido	tenhamos
2. teríeis	teríeis tido	tende
3. teriam	teriam tido	tenham

SUBJUNCTIVE

PRESENT	**IMPERFECT**	**FUTURE**
1. tenha	tivesse	tiver
2. tenhas	tivesses	tiveres
3. tenha	tivesse	tiver
1. tenhamos	tivéssemos	tivermos
2. tenhais	tivésseis	tiverdes
3. tenham	tivessem	tiverem

PERFECT	**PLUPERFECT**	**FUTURE PERFECT**
tenha tido *etc*	tivesse tido *etc*	tiver tido *etc*

INFINITIVE

PERSONAL INFINITIVE

PARTICIPLE

PRESENT ter	1. ter	1. termos	**PRESENT** tendo
PAST ter tido	2. teres	2. terdes	**PAST** tido
	3. ter	3. terem	

PRESENT	IMPERFECT	FUTURE
1. toco	tocava	tocarei
2. tocas	tocavas	tocarás
3. toca	tocava	tocará
1. tocamos	tocávamos	tocaremos
2. tocais	tocáveis	tocareis
3. tocam	tocavam	tocarão

PRETERITE	PERFECT	PLUPERFECT
1. toquei	tenho tocado	tocara
2. tocaste	tens tocado	tocaras
3. tocou	tem tocado	tocara
1. tocámos	temos tocado	tocáramos
2. tocastes	tendes tocado	tocáreis
3. tocaram	têm tocado	tocaram

PLUPERFECT (COMPOUND)		FUTURE PERFECT
tinha tocado _etc_		terei tocado _etc_

CONDITIONAL

IMPERATIVE

PRESENT	PERFECT	
1. tocaria	teria tocado	
2. tocarias	terias tocado	
3. tocaria	teria tocado	toca
1. tocaríamos	teríamos tocado	toque
2. tocaríeis	teríeis tocado	toquemos
3. tocariam	teriam tocado	tocai
		toquem

SUBJUNCTIVE

PRESENT	IMPERFECT	FUTURE
1. toque	tocasse	tocar
2. toques	tocasses	tocares
3. toque	tocasse	tocar
1. toquemos	tocássemos	tocarmos
2. toqueis	tocásseis	tocardes
3. toquem	tocassem	tocarem

PERFECT	PLUPERFECT	FUTURE PERFECT
tenha tocado _etc_	tivesse tocado _etc_	tiver tocado _etc_

INFINITIVE	PERSONAL INFINITIVE		PARTICIPLE
PRESENT tocar	1. tocar	1. tocarmos	PRESENT tocando
PAST ter tocado	2. tocares	2. tocardes	PAST tocado
	3. tocar	3. tocarem	

PRESENT	IMPERFECT	FUTURE
1. tomo	tomava	tomarei
2. tomas	tomavas	tomarás
3. toma	tomava	tomará
1. tomamos	tomávamos	tomaremos
2. tomais	tomáveis	tomareis
3. tomam	tomavam	tomarão

PRETERITE	PERFECT	PLUPERFECT
1. tomei	tenho tomado	tomara
2. tomaste	tens tomado	tomaras
3. tomou	tem tomado	tomara
1. tomámos	temos tomado	tomáramos
2. tomastes	tendes tomado	tomáreis
3. tomaram	têm tomado	tomaram

PLUPERFECT (COMPOUND)
tinha tomado *etc*

FUTURE PERFECT
terei tomado *etc*

CONDITIONAL

IMPERATIVE

PRESENT	PERFECT	
1. tomaria	teria tomado	
2. tomarias	terias tomado	
3. tomaria	teria tomado	toma
1. tomaríamos	teríamos tomado	tome
2. tomaríeis	teríeis tomado	tomemos
3. tomariam	teriam tomado	tomai
		tomem

SUBJUNCTIVE

PRESENT	IMPERFECT	FUTURE
1. tome	tomasse	tomar
2. tomes	tomasses	tomares
3. tome	tomasse	tomar
1. tomemos	tomássemos	tomarmos
2. tomeis	tomásseis	tomardes
3. tomem	tomassem	tomarem

PERFECT	PLUPERFECT	FUTURE PERFECT
tenha tomado *etc*	tivesse tomado *etc*	tiver tomado *etc*

INFINITIVE

PERSONAL INFINITIVE

PARTICIPLE

PRESENT tomar	1. tomar	1. tomarmos	**PRESENT** tomando
PAST ter tomado	2. tomares	2. tomardes	**PAST** tomado
	3. tomar	3. tomarem	

TORCER
198 *to twist*

PRESENT	IMPERFECT	FUTURE
1. torço	torcia	torcerei
2. torces	torcias	torcerás
3. torce	torcia	torcerá
1. torcemos	torcíamos	torceremos
2. torceis	torcíeis	torcereis
3. torcem	torciam	torcerão

PRETERITE	PERFECT	PLUPERFECT
1. torci	tenho torcido	torcera
2. torceste	tens torcido	torceras
3. torceu	tem torcido	torcera
1. torcemos	temos torcido	torcêramos
2. torcestes	tendes torcido	torcêreis
3. torceram	têm torcido	torceram

PLUPERFECT (COMPOUND)
tinha torcido *etc*

FUTURE PERFECT
terei torcido *etc*

CONDITIONAL

IMPERATIVE

PRESENT	PERFECT	
1. torceria	teria torcido	
2. torcerias	terias torcido	
3. torceria	teria torcido	torce
1. torceríamos	teríamos torcido	torça
2. torceríeis	teríeis torcido	torçamos
3. torceriam	teriam torcido	torcei
		torçam

SUBJUNCTIVE

PRESENT	IMPERFECT	FUTURE
1. torça	torcesse	torcer
2. torças	torcesses	torceres
3. torça	torcesse	torcer
1. torçamos	torcêssemos	torcermos
2. torçais	torcêsseis	torcerdes
3. torçam	torcessem	torcerem

PERFECT	PLUPERFECT	FUTURE PERFECT
tenha torcido *etc*	tivesse torcido *etc*	tiver torcido *etc*

INFINITIVE

PERSONAL INFINITIVE

PARTICIPLE

PRESENT torcer

PAST ter torcido

1. torcer	1. torcermos
2. torceres	2. torcerdes
3. torcer	3. torcerem

PRESENT torcendo

PAST torcido

PRESENT	IMPERFECT	FUTURE
1. trabalho	trabalhava	trabalharei
2. trabalhas	trabalhavas	trabalharás
3. trabalha	trabalhava	trabalhará
1. trabalhamos	trabalhávamos	trabalharemos
2. trabalhais	trabalháveis	trabalhareis
3. trabalham	trabalhavam	trabalharão

PRETERITE	PERFECT	PLUPERFECT
1. trabalhei	tenho trabalhado	trabalhara
2. trabalhaste	tens trabalhado	trabalharas
3. trabalhou	tem trabalhado	trabalhara
1. trabalhámos	temos trabalhado	trabalháramos
2. trabalhastes	tendes trabalhado	trabalháreis
3. trabalharam	têm trabalhado	trabalharam

PLUPERFECT (COMPOUND)
tinha trabalhado *etc*

FUTURE PERFECT
terei trabalhado *etc*

CONDITIONAL

PRESENT	PERFECT
1. trabalharia	teria trabalhado
2. trabalharias	terias trabalhado
3. trabalharia	teria trabalhado
1. trabalharíamos	teríamos trabalhado
2. trabalharíeis	teríeis trabalhado
3. trabalhariam	teriam trabalhado

IMPERATIVE

trabalha
trabalhe
trabalhemos
trabalhai
trabalhem

SUBJUNCTIVE

PRESENT	IMPERFECT	FUTURE
1. trabalhe	trabalhasse	trabalhar
2. trabalhes	trabalhasses	trabalhares
3. trabalhe	trabalhasse	trabalhar
1. trabalhemos	trabalhássemos	trabalharmos
2. trabalheis	trabalhásseis	trabalhardes
3. trabalhem	trabalhassem	trabalharem

PERFECT	PLUPERFECT	FUTURE PERFECT
tenha trabalhado *etc*	tivesse trabalhado *etc*	tiver trabalhado *etc*

INFINITIVE

PRESENT trabalhar
PAST ter trabalhado

PERSONAL INFINITIVE

1. trabalhar	1. trabalharmos
2. trabalhares	2. trabalhardes
3. trabalhar	3. trabalharem

PARTICIPLE

PRESENT trabalhando
PAST trabalhado

TRADUZIR
200 *to translate*

PRESENT	**IMPERFECT**	**FUTURE**
1. traduzo	traduzia	traduzirei
2. traduzes	traduzias	traduzirás
3. traduz	traduzia	traduzirá
1. traduzimos	traduzíamos	traduziremos
2. traduzis	traduzíeis	traduzireis
3. traduzem	traduziam	traduzirão

PRETERITE	**PERFECT**	**PLUPERFECT**
1. traduzi	tenho traduzido	traduzira
2. traduziste	tens traduzido	traduziras
3. traduziu	tem traduzido	traduzira
1. traduzimos	temos traduzido	traduzíramos
2. traduzistes	tendes traduzido	traduzíreis
3. traduziram	têm traduzido	traduziram

PLUPERFECT (COMPOUND)	**FUTURE PERFECT**
tinha traduzido *etc*	terei traduzido *etc*

CONDITIONAL

PRESENT	**PERFECT**
1. traduziria	teria traduzido
2. traduzirias	terias traduzido
3. traduziria	teria traduzido
1. traduziríamos	teríamos traduzido
2. traduziríeis	teríeis traduzido
3. traduziriam	teriam traduzido

IMPERATIVE

traduz
traduza
traduzamos
traduzi
traduzam

SUBJUNCTIVE

PRESENT	**IMPERFECT**	**FUTURE**
1. traduza	traduzisse	traduzir
2. traduzas	traduzisses	traduzires
3. traduza	traduzisse	traduzir
1. traduzamos	traduzíssemos	traduzirmos
2. traduzais	traduzísseis	traduzirdes
3. traduzam	traduzissem	traduzirem

PERFECT	**PLUPERFECT**	**FUTURE PERFECT**
tenha traduzido *etc*	tivesse traduzido *etc*	tiver traduzido *etc*

INFINITIVE	**PERSONAL INFINITIVE**		**PARTICIPLE**
PRESENT traduzir	1. traduzir	1. traduzirmos	**PRESENT** traduzindo
PAST ter traduzido	2. traduzires	2. traduzirdes	**PAST** traduzido
	3. traduzir	3. traduzirem	

PRESENT	**IMPERFECT**	**FUTURE**
1. trato	tratava	tratarei
2. tratas	tratavas	tratarás
3. trata	tratava	tratará
1. tratamos	tratávamos	trataremos
2. tratais	tratáveis	tratareis
3. tratam	tratavam	tratarão

PRETERITE	**PERFECT**	**PLUPERFECT**
1. tratei	tenho tratado	tratara
2. trataste	tens tratado	trataras
3. tratou	tem tratado	tratara
1. tratámos	temos tratado	tratáramos
2. tratastes	tendes tratado	tratáreis
3. trataram	têm tratado	trataram

PLUPERFECT (COMPOUND)
tinha tratado *etc*

FUTURE PERFECT
terei tratado *etc*

CONDITIONAL

IMPERATIVE

PRESENT	**PERFECT**	
1. trataria	teria tratado	
2. tratarias	terias tratado	
3. trataria	teria tratado	trata
1. trataríamos	teríamos tratado	trate
2. trataríeis	teríeis tratado	tratemos
3. tratariam	teriam tratado	tratai
		tratem

SUBJUNCTIVE

PRESENT	**IMPERFECT**	**FUTURE**
1. trate	tratasse	tratar
2. trates	tratasses	tratares
3. trate	tratasse	tratar
1. tratemos	tratássemos	tratarmos
2. trateis	tratásseis	tratardes
3. tratem	tratassem	tratarem

PERFECT	**PLUPERFECT**	**FUTURE PERFECT**
tenha tratado *etc*	tivesse tratado *etc*	tiver tratado *etc*

INFINITIVE

PERSONAL INFINITIVE

PARTICIPLE

PRESENT tratar	1. tratar	1. tratarmos	**PRESENT** tratando
PAST ter tratado	2. tratares	2. tratardes	**PAST** tratado
	3. tratar	3. tratarem	

PRESENT	IMPERFECT	FUTURE
1. trago	trazia	trarei
2. trazes	trazias	trarás
3. traz	trazia	trará
1. trazemos	trazíamos	traremos
2. trazeis	trazíeis	trareis
3. trazem	traziam	trarão

PRETERITE	PERFECT	PLUPERFECT
1. trouxe	tenho trazido	trouxera
2. trouxeste	tens trazido	trouxeras
3. trouxe	tem trazido	trouxera
1. trouxemos	temos trazido	trouxéramos
2. trouxestes	tendes trazido	trouxéreis
3. trouxeram	têm trazido	trouxeram

PLUPERFECT (COMPOUND)		FUTURE PERFECT
tinha trazido *etc*		terei trazido *etc*

CONDITIONAL

IMPERATIVE

PRESENT	PERFECT	
1. traria	teria trazido	
2. trarias	terias trazido	traze
3. traria	teria trazido	traga
1. traríamos	teríamos trazido	tragamos
2. traríeis	teríeis trazido	trazei
3. trariam	teriam trazido	tragam

SUBJUNCTIVE

PRESENT	IMPERFECT	FUTURE
1. traga	trouxesse	trouxer
2. tragas	trouxesses	trouxeres
3. traga	trouxesse	trouxer
1. tragamos	trouxéssemos	trouxermos
2. tragais	trouxésseis	trouxerdes
3. tragam	trouxessem	trouxerem

PERFECT	PLUPERFECT	FUTURE PERFECT
tenha trazido *etc*	tivesse trazido *etc*	tiver trazido *etc*

INFINITIVE

PERSONAL INFINITIVE

PARTICIPLE

PRESENT trazer	1. trazer	1. trazermos	PRESENT trazendo
PAST ter trazido	2. trazeres	2. trazerdes	PAST trazido
	3. trazer	3. trazerem	

PRESENT	IMPERFECT	FUTURE
1. valho	valia	valerei
2. vales	valias	valerás
3. vale	valia	valerá
1. valemos	valíamos	valeremos
2. valeis	valíeis	valereis
3. valem	valiam	valerão

PRETERITE	PERFECT	PLUPERFECT
1. vali	tenho valido	valera
2. valeste	tens valido	valeras
3. valeu	tem valido	valera
1. valemos	temos valido	valêramos
2. valestes	tendes valido	valêreis
3. valeram	têm valido	valeram

PLUPERFECT (COMPOUND)
tinha valido *etc*

FUTURE PERFECT
terei valido *etc*

CONDITIONAL

IMPERATIVE

PRESENT	PERFECT	
1. valeria	teria valido	
2. valerias	terias valido	vale
3. valeria	teria valido	valha
1. valeríamos	teríamos valido	valhamos
2. valeríeis	teríeis valido	valei
3. valeriam	teriam valido	valham

SUBJUNCTIVE

PRESENT	IMPERFECT	FUTURE
1. valha	valesse	valer
2. valhas	valesses	valeres
3. valha	valesse	valer
1. valhamos	valêssemos	valermos
2. valhais	valêsseis	valerdes
3. valham	valessem	valerem

PERFECT	PLUPERFECT	FUTURE PERFECT
tenha valido *etc*	tivesse valido *etc*	tiver valido *etc*

INFINITIVE

PRESENT valer
PAST ter valido

PERSONAL INFINITIVE

1. valer	1. valermos
2. valeres	2. valerdes
3. valer	3. valerem

PARTICIPLE

PRESENT valendo
PAST valido

VENDER
204 *to sell*

PRESENT	IMPERFECT	FUTURE
1. vendo	vendia	venderei
2. vendes	vendias	venderás
3. vende	vendia	venderá
1. vendemos	vendíamos	venderemos
2. vendeis	vendíeis	vendereis
3. vendem	vendiam	venderão

PRETERITE	PERFECT	PLUPERFECT
1. vendi	tenho vendido	vendera
2. vendeste	tens vendido	venderas
3. vendeu	tem vendido	vendera
1. vendemos	temos vendido	vendêramos
2. vendestes	tendes vendido	vendêreis
3. venderam	têm vendido	venderam

PLUPERFECT (COMPOUND)		FUTURE PERFECT
tinha vendido *etc*		terei vendido *etc*

CONDITIONAL

IMPERATIVE

PRESENT	PERFECT	
1. venderia	teria vendido	
2. venderias	terias vendido	vende
3. venderia	teria vendido	venda
1. venderíamos	teríamos vendido	vendamos
2. venderíeis	teríeis vendido	vendei
3. venderiam	teriam vendido	vendam

SUBJUNCTIVE

PRESENT	IMPERFECT	FUTURE
1. venda	vendesse	vender
2. vendas	vendesses	venderes
3. venda	vendesse	vender
1. vendamos	vendêssemos	vendermos
2. vendais	vendêsseis	venderdes
3. vendam	vendessem	venderem

PERFECT	PLUPERFECT	FUTURE PERFECT
tenha vendido *etc*	tivesse vendido *etc*	tiver vendido *etc*

INFINITIVE

PERSONAL INFINITIVE

PARTICIPLE

PRESENT vender	1. vender	1. vendermos	PRESENT vendendo
PAST ter vendido	2. venderes	2. venderdes	PAST vendido
	3. vender	3. venderem	

PRESENT	**IMPERFECT**	**FUTURE**
1. vejo	via	verei
2. vês	vias	verás
3. vê	via	verá
1. vemos	víamos	veremos
2. vedes	víeis	vereis
3. vêem	viam	verão

PRETERITE	**PERFECT**	**PLUPERFECT**
1. vi	tenho visto	vira
2. viste	tens visto	viras
3. viu	tem visto	vira
1. vimos	temos visto	víramos
2. vistes	tendes visto	víreis
3. viram	têm visto	viram

PLUPERFECT (COMPOUND)		**FUTURE PERFECT**
tinha visto *etc*		terei visto *etc*

CONDITIONAL

IMPERATIVE

PRESENT	**PERFECT**	
1. veria	teria visto	
2. verias	terias visto	
3. veria	teria visto	vê
1. veríamos	teríamos visto	veja
2. veríeis	teríeis visto	vejamos
3. veriam	teriam visto	vede
		vejam

SUBJUNCTIVE

PRESENT	**IMPERFECT**	**FUTURE**
1. veja	visse	vir
2. vejas	visses	vires
3. veja	visse	vir
1. vejamos	víssemos	virmos
2. vejais	vísseis	virdes
3. vejam	vissem	virem

PERFECT	**PLUPERFECT**	**FUTURE PERFECT**
tenha visto *etc*	tivesse visto *etc*	tiver visto *etc*

INFINITIVE

PERSONAL INFINITIVE

PARTICIPLE

PRESENT ver	1. ver	1. vermos	**PRESENT** vendo
PAST ter visto	2. veres	2. verdes	**PAST** visto
	3. ver	3. verem	

PRESENT	**IMPERFECT**	**FUTURE**
1. visto	vestia	vestirei
2. vestes	vestias	vestirás
3. veste	vestia	vestirá
1. vestimos	vestíamos	vestiremos
2. vestis	vestíeis	vestireis
3. vestem	vestiam	vestirão

PRETERITE	**PERFECT**	**PLUPERFECT**
1. vesti	tenho vestido	vestira
2. vestiste	tens vestido	vestiras
3. vestiu	tem vestido	vestira
1. vestimos	temos vestido	vestíramos
2. vestistes	tendes vestido	vestíreis
3. vestiram	têm vestido	vestiram

PLUPERFECT (COMPOUND)	**FUTURE PERFECT**
tinha vestido *etc*	terei vestido *etc*

CONDITIONAL

IMPERATIVE

PRESENT	**PERFECT**	
1. vestiria	teria vestido	
2. vestirias	terias vestido	veste
3. vestiria	teria vestido	vista
1. vestiríamos	teríamos vestido	vistamos
2. vestiríeis	teríeis vestido	vesti
3. vestiriam	teriam vestido	vistam

SUBJUNCTIVE

PRESENT	**IMPERFECT**	**FUTURE**
1. vista	vestisse	vestir
2. vistas	vestisses	vestires
3. vista	vestisse	vestir
1. vistamos	vestíssemos	vestirmos
2. vistais	vestísseis	vestirdes
3. vistam	vestissem	vestirem

PERFECT	**PLUPERFECT**	**FUTURE PERFECT**
tenha vestido *etc*	tivesse vestido *etc*	tiver vestido *etc*

INFINITIVE

PERSONAL INFINITIVE

PARTICIPLE

PRESENT vestir	1. vestir	1. vestirmos	**PRESENT** vestindo
PAST ter vestido	2. vestires	2. vestirdes	**PAST** vestido
	3. vestir	3. vestirem	

PRESENT	**IMPERFECT**	**FUTURE**
1. viajo	viajava	viajarei
2. viajas	viajavas	viajarás
3. viaja	viajava	viajará
1. viajamos	viajávamos	viajaremos
2. viajais	viajáveis	viajareis
3. viajam	viajavam	viajarão

PRETERITE	**PERFECT**	**PLUPERFECT**
1. viajei	tenho viajado	viajara
2. viajaste	tens viajado	viajaras
3. viajou	tem viajado	viajara
1. viajámos	temos viajado	viajáramos
2. viajastes	tendes viajado	viajáreis
3. viajaram	têm viajado	viajaram

PLUPERFECT (COMPOUND)	**FUTURE PERFECT**
tinha viajado _etc_	terei viajado _etc_

CONDITIONAL

IMPERATIVE

PRESENT	**PERFECT**	
1. viajaria	teria viajado	
2. viajarias	terias viajado	viaja
3. viajaria	teria viajado	viaje
1. viajaríamos	teríamos viajado	viajemos
2. viajaríeis	teríeis viajado	viajai
3. viajariam	teriam viajado	viajem

SUBJUNCTIVE

PRESENT	**IMPERFECT**	**FUTURE**
1. viaje	viajasse	viajar
2. viajes	viajasses	viajares
3. viaje	viajasse	viajar
1. viajemos	viajássemos	viajarmos
2. viajeis	viajásseis	viajardes
3. viajem	viajassem	viajarem

PERFECT	**PLUPERFECT**	**FUTURE PERFECT**
tenha viajado _etc_	tivesse viajado _etc_	tiver viajado _etc_

INFINITIVE

PERSONAL INFINITIVE

PARTICIPLE

PRESENT viajar	1. viajar	1. viajarmos	**PRESENT** viajando
PAST ter viajado	2. viajares	2. viajardes	**PAST** viajado
	3. viajar	3. viajarem	

PRESENT	**IMPERFECT**	**FUTURE**
1. venho	vinha	virei
2. vens	vinhas	virás
3. vem	vinha	virá
1. vimos	vínhamos	viremos
2. vindes	vínheis	vireis
3. vêm	vinham	virão

PRETERITE	**PERFECT**	**PLUPERFECT**
1. vim	tenho vindo	viera
2. vieste	tens vindo	vieras
3. veio	tem vindo	viera
1. viemos	temos vindo	viéramos
2. viestes	tendes vindo	viéreis
3. vieram	têm vindo	vieram

PLUPERFECT (COMPOUND)	**FUTURE PERFECT**
tinha vindo *etc*	terei vindo *etc*

CONDITIONAL

IMPERATIVE

PRESENT	**PERFECT**	
1. viria	teria vindo	
2. virias	terias vindo	
3. viria	teria vindo	vem
1. viríamos	teríamos vindo	venha
2. viríeis	teríeis vindo	venhamos
3. viriam	teriam vindo	vinde
		venham

SUBJUNCTIVE

PRESENT	**IMPERFECT**	**FUTURE**
1. venha	viesse	vier
2. venhas	viesses	vieres
3. venha	viesse	vier
1. venhamos	viéssemos	viermos
2. venhais	viésseis	vierdes
3. venham	viessem	vierem

PERFECT	**PLUPERFECT**	**FUTURE PERFECT**
tenha vindo *etc*	tivesse vindo *etc*	tiver vindo *etc*

INFINITIVE

PERSONAL INFINITIVE

PARTICIPLE

PRESENT vir	1. vir	1. virmos	**PRESENT** vindo
PAST ter vindo	2. vires	2. virdes	**PAST** vindo
	3. vir	3. virem	

PRESENT	IMPERFECT	FUTURE
1. visito	visitava	visitarei
2. visitas	visitavas	visitarás
3. visita	visitava	visitará
1. visitamos	visitávamos	visitaremos
2. visitais	visitáveis	visitareis
3. visitam	visitavam	visitarão

PRETERITE	PERFECT	PLUPERFECT
1. visitei	tenho visitado	visitara
2. visitaste	tens visitado	visitaras
3. visitou	tem visitado	visitara
1. visitámos	temos visitado	visitáramos
2. visitastes	tendes visitado	visitáreis
3. visitaram	têm visitado	visitaram

PLUPERFECT (COMPOUND)
tinha visitado *etc*

FUTURE PERFECT
terei visitado *etc*

CONDITIONAL

PRESENT	PERFECT	IMPERATIVE
1. visitaria	teria visitado	
2. visitarias	terias visitado	
3. visitaria	teria visitado	visita
1. visitaríamos	teríamos visitado	visite
2. visitaríeis	teríeis visitado	visitemos
3. visitariam	teriam visitado	visitai
		visitem

SUBJUNCTIVE

PRESENT	IMPERFECT	FUTURE
1. visite	visitasse	visitar
2. visites	visitasses	visitares
3. visite	visitasse	visitar
1. visitemos	visitássemos	visitarmos
2. visiteis	visitásseis	visitardes
3. visitem	visitassem	visitarem

PERFECT
tenha visitado *etc*

PLUPERFECT
tivesse visitado *etc*

FUTURE PERFECT
tiver visitado *etc*

INFINITIVE

PRESENT visitar
PAST ter visitado

PERSONAL INFINITIVE

1. visitar	1. visitarmos
2. visitares	2. visitardes
3. visitar	3. visitarem

PARTICIPLE

PRESENT visitando
PAST visitado

PRESENT	IMPERFECT	FUTURE
1. vivo	vivia	viverei
2. vives	vivias	viverás
3. vive	vivia	viverá
1. vivemos	vivíamos	viveremos
2. viveis	vivíeis	vivereis
3. vivem	viviam	viverão

PRETERITE	PERFECT	PLUPERFECT
1. vivi	tenho vivido	vivera
2. viveste	tens vivido	viveras
3. viveu	tem vivido	vivera
1. vivemos	temos vivido	vivêramos
2. vivestes	tendes vivido	vivêreis
3. viveram	têm vivido	viveram

PLUPERFECT (COMPOUND)		FUTURE PERFECT
tinha vivido *etc*		terei vivido *etc*

CONDITIONAL

IMPERATIVE

PRESENT	PERFECT	
1. viveria	teria vivido	
2. viverias	terias vivido	vive
3. viveria	teria vivido	viva
1. viveríamos	teríamos vivido	vivamos
2. viveríeis	teríeis vivido	vivei
3. viveriam	teriam vivido	vivam

SUBJUNCTIVE

PRESENT	IMPERFECT	FUTURE
1. viva	vivesse	viver
2. vivas	vivesses	viveres
3. viva	vivesse	viver
1. vivamos	vivêssemos	vivermos
2. vivais	vivêsseis	viverdes
3. vivam	vivessem	viverem

PERFECT	PLUPERFECT	FUTURE PERFECT
tenha vivido *etc*	tivesse vivido *etc*	tiver vivido *etc*

INFINITIVE

PERSONAL INFINITIVE

PARTICIPLE

INFINITIVE	PERSONAL INFINITIVE		PARTICIPLE
PRESENT viver	1. viver	1. vivermos	PRESENT vivendo
PAST ter vivido	2. viveres	2. viverdes	PAST vivido
	3. viver	3. viverem	

PRESENT	IMPERFECT	FUTURE
1. voo	voava	voarei
2. voas	voavas	voarás
3. voa	voava	voará
1. voamos	voávamos	voaremos
2. voais	voáveis	voareis
3. voam	voavam	voarão

PRETERITE	PERFECT	PLUPERFECT
1. voei	tenho voado	voara
2. voaste	tens voado	voaras
3. voou	tem voado	voara
1. voámos	temos voado	voáramos
2. voastes	tendes voado	voáreis
3. voaram	têm voado	voaram

PLUPERFECT (COMPOUND)		FUTURE PERFECT
tinha voado *etc*		terei voado *etc*

CONDITIONAL

IMPERATIVE

PRESENT	PERFECT	
1. voaria	teria voado	
2. voarias	terias voado	voa
3. voaria	teria voado	voe
1. voaríamos	teríamos voado	voemos
2. voaríeis	teríeis voado	voai
3. voariam	teriam voado	voem

SUBJUNCTIVE

PRESENT	IMPERFECT	FUTURE
1. voe	voasse	voar
2. voes	voasses	voares
3. voe	voasse	voar
1. voemos	voássemos	voarmos
2. voeis	voásseis	voardes
3. voem	voassem	voarem

PERFECT	PLUPERFECT	FUTURE PERFECT
tenha voado *etc*	tivesse voado *etc*	tiver voado *etc*

INFINITIVE

PERSONAL INFINITIVE

PARTICIPLE

INFINITIVE	PERSONAL INFINITIVE		PARTICIPLE
PRESENT voar	1. voar	1. voarmos	**PRESENT** voando
PAST ter voado	2. voares	2. voardes	**PAST** voado
	3. voar	3. voarem	

VOLTAR
212 *to return*

PRESENT	IMPERFECT	FUTURE
1. volto	voltava	voltarei
2. voltas	voltavas	voltarás
3. volta	voltava	voltará
1. voltamos	voltávamos	voltaremos
2. voltais	voltáveis	voltareis
3. voltam	voltavam	voltarão

PRETERITE	PERFECT	PLUPERFECT
1. voltei	tenho voltado	voltara
2. voltaste	tens voltado	voltaras
3. voltou	tem voltado	voltara
1. voltámos	temos voltado	voltáramos
2. voltastes	tendes voltado	voltáreis
3. voltaram	têm voltado	voltaram

PLUPERFECT (COMPOUND)		FUTURE PERFECT
tinha voltado *etc*		terei voltado *etc*

CONDITIONAL

IMPERATIVE

PRESENT	PERFECT	
1. voltaria	teria voltado	
2. voltarias	terias voltado	volta
3. voltaria	teria voltado	volte
1. voltaríamos	teríamos voltado	voltemos
2. voltaríeis	teríeis voltado	voltai
3. voltariam	teriam voltado	voltem

SUBJUNCTIVE

PRESENT	IMPERFECT	FUTURE
1. volte	voltasse	voltar
2. voltes	voltasses	voltares
3. volte	voltasse	voltar
1. voltemos	voltássemos	voltarmos
2. volteis	voltásseis	voltardes
3. voltem	voltassem	voltarem

PERFECT	PLUPERFECT	FUTURE PERFECT
tenha voltado *etc*	tivesse voltado *etc*	tiver voltado *etc*

INFINITIVE

PERSONAL INFINITIVE

PARTICIPLE

PRESENT voltar	1. voltar	1. voltarmos	**PRESENT** voltando
PAST ter voltado	2. voltares	2. voltardes	**PAST** voltado
	3. voltar	3. voltarem	

INDEX OF PORTUGUESE VERBS

The verbs given in full in the tables on the preceding pages are used as models for all other Portuguese verbs given in this index. The number in this index is that of the corresponding verb table.

The index also contains irregular verb forms. These are each referred to the respective infinitive form of the same verb.

All verbs in this index have been referred to model verbs with corresponding features wherever possible. Most reflexive verbs have been referred to reflexive model verbs. However, if this model is not reflexive, the reflexive pronouns have to be added. In addition, many normal verbs may be made reflexive with the addition of the reflexive pronouns.

A verb shown in blue is given as a model itself.

BP denotes a verb used in Brazilian Portuguese, and PT a verbal usage more common in Portugal.

ENGLISH-PORTUGUESE INDEX

The following index contains over 1700 common English verbs and their main translation. Note that the correct translation for the English verb depends entirely on the context in which the verb is used, and the user should consult a dictionary if in any doubt.

The verbs given in full in the tables in the main part of this book are used as models for the Portuguese verbs given in this index. The number in this index is that of the corresponding verb table.

A verb shown in blue is given as a model itself.

BP denotes a verb used in Brazilian Portuguese, and PT a verbal usage more common in Portugal.

A

abandon	abandonar 1
abdicate	abdicar 122
able, be	poder 163
abolish	abolir 98
abound	abundar 24
absolve	absolver 58
absorb	absorver 58
abstain	abster-se 115
abuse	abusar 24
accelerate	acelerar 24
accent	acentuar 24
accept	aceitar 6
acclaim	aclamar 24
acclimatize	aclimatar-se 186
accommodate	acomodar 9
accompany	acompanhar 24
accomplish	concluir 89, conseguir 185
accredit	acreditar 24

accumulate	acumular 13
accuse	acusar 24
achieve	atingir 15, conseguir 185
acknowledge	admitir 158, reconhecer 63
acquire	adquirir 158
act	comportar-se 186, agir 15, fingir 123, representar 24
activate	accionar [BP acionar] 24
adapt	adaptar 24
add	somar 24, acrescentar 24
adhere	aderir 158
adjust	ajustar 24, adaptar-se 186
administer	administrar 24, aplicar 122
admire	admirar 24
admit	admitir 158
adopt	adoptar [BP adotar] 24
adore	adorar 24
advance	progredir 169, adiantar 24, avançar 18
advise	aconselhar 24
advocate	advogar 21, defender 80
affect	afectar [BP afetar] 24
affront	ofender 153
age	envelhecer 63
aggravate	agravar 24, irritar 24
agree	concordar 24, combinar 24
agree to	consentir 187, aceitar 6
aim	apontar 24
air	arejar 24, ventilar 24, discutir 158
align	alinhar 24
alleviate	aliviar 24
allow	deixar 82, permitir 158
alter	alterar 24, modificar 122
alternate	alternar 24
amalgamate	amalgamar 24
amaze	assombrar 34
amputate	amputar 24
amuse	divertir 206
analyse	analisar 23
anchor	ancorar 24
anger	zangar 24

attract	atrair 35
attribute	atribuir 89
auction	leiloar 211
authorize	autorizar 24
automate	automatizar 24
avenge	vingar 21
avoid	evitar 24
await	aguardar 24
award	conceder 158, indemnizar [BP indenizar] 24

B

back	apoiar 24, apostar 24
back up	apoiar 24
balance	balançar 18
ban	proibir 170
bandage	enfaixar 24
bang	bater 40
baptize	baptizar [BP batizar] 24
bark	ladrar 24
barter	trocar 122
base	basear 159
bathe	banhar 38
batter	espancar 122
be	estar 116, ser 188, ficar 122
beat	bater 40, ganhar 24
become	ficar 122, fazer-se 119, pôr-se 164, virar 24
beg	implorar 24, suplicar 122, rogar 21
begin	começar 57
behave	comportar-se 186
behead	decapitar 24
belch	arrotar 24
believe	crer 73, julgar 135, acreditar 24
belittle	depreciar 24
bellow	bramar 24
belong	pertencer 63
bend	dobrar 24
benefit	beneficiar 24
bequeath	legar 21
besiege	sitiar 24

cohabit	**coabitar** 24
coincide	**coincidir** 158, **corresponder** 58
collaborate	**colaborar** 24
collect	**cobrar** 54, **recolher** 58, **juntar** 24
colonize	**colonizar** 24
colour	**colorir** 158
comb	**pentear** 159
combat	**combater** 40
combine	**combinar** 24
come	**vir** 208
come back	**voltar** 212
come down	**descer** 85
come from	**ser** 188, **originar-se** 186, **provir** 208
come in	**entrar** 107
come out	**sair** 182
come up	**subir** 191
comfort	**confortar** 24
command	**comandar** 24, **dominar** 97
commemorate	**comemorar** 24
commit	**cometer** 58, **comprometer-se** 115
communicate	**comunicar** 122
compare	**comparar** 24
compel	**forçar** 18, **obrigar** 151
compensate	**compensar** 24
compete	**competir** 178, **concorrer** 69
compete for	**competir** 178
compile	**compilar** 24, **compor** 164
complain	**queixar** 173, **reclamar** 24
complete	**completar** 24, **terminar** 24, **acabar** 5
complicate	**complicar** 122
comply	**cumprir** 75
compose	**compor** 164
compress	**comprimir** 158, **reduzir** 176
compromise	**comprometer** 58
conceal	**esconder** 112
conceive	**conceber** 58, **engravidar** 24
concentrate	**concentrar** 24
concern	**interessar** 24, **importar** 24
conclude	**concluir** 89

condemn	**condenar** 24
condense	**condensar** 24
conduct	**conduzir** 62, **dirigir** 90
confess	**confessar** 24
confide	**confiar** 24
confine	**encarcerar** 24, **confinar** 24
confirm	**confirmar** 24, **comprovar** 172
confiscate	**confiscar** 122
confront	**enfrentar** 24, **defrontar-se** 186
confuse	**confundir** 158, **desconcertar** 24
congratulate	**felicitar** 24, **parabenizar** 24
connect	**conectar** 24, **ligar** 21, **unir** 158
conquer	**conquistar** 24
consider	**considerar** 24
consist	**consistir** 158
console	**consolar** 24, **confortar** 24
constitute	**constituir** 89, **representar** 24
construct	**construir** 64
consult	**consultar** 65
consume	**consumir** 193, **gastar** 125
contain	**conter** 195
continue	**continuar** 67
contrast	**comparar** 24
contravene	**contravir** 208
contribute	**contribuir** 89
control	**controlar** 24
converge	**convergir** 15
convert	**converter** 58
convict	**condenar** 24
convince	**convencer** 63
cook	**cozinhar** 72
cool (down)	**esfriar** 24, **resfriar** 24, **arrefecer** 63
co-operate	**cooperar** 24, **colaborar** 24
co-ordinate	**coordinar** 24
copy	**copiar** 24, **imitar** 24, **reproduzir** 168
corner	**encurralar** 24
correct	**corrigir** 70
correspond	**corresponder** 58
corroborate	**comprovar** 24, **verificar** 122

corrode	corroer 141
corrupt	corromper 58, perverter 58
cost	custar 76
cough	tossir 98
count	contar 66
counteract	neutralizar 24
court	cortejar 24, namorar 24
cover	cobrir 55, tapar 24, abranger 171
cover up	encobrir 55
covet	cobiçar 18
crack	quebrar 24, estalar 24, resolver 58
cram	encher 103, enfiar 24
crash	colidir 158, chocarse 186, embater 40
crawl	arrastar-se 186, engatinhar 24
creak	chiar 24, ranger 171
create	criar 24
cremate	cremar 24
criticize	criticar 122
cross	atravessar 36, cruzar 24
cross out	riscar 122, cancelar 24
crown	coroar 211
crucify	crucificar 122
crumble	esfarelar 24, desmoronar-se 186
crunch	mastigar 21, esmagar 21
crush	esmagar 21, machucar 122
cry	chorar 24
crystallize	cristalizar 24
curdle	coalhar 24
cure	curar 24
curl	frisar 24, encaracolar 24
curse	amaldiçoar 211, maldizer 95
cut	cortar 71
cut down	derrubar 24, reduzir 176
cut out	recortar 71

D

damage	danar 24, estragar 21
dance	dançar 77
dare	ousar 24

divide	dividir 94, partir 158, compartir 158
do	fazer 119
do without	prescindir 158
dodge	evitar 24, esquivar-se 186, sonegar 21
dominate	dominar 97
dot	apontar 24
double	dobrar 24
doubt	duvidar 24
draft	esboçar 18, rascunhar 24
drag	arrastar 24, dragar 21
drain	esvaziar 24, coar 211, drenar 24
draw	desenhar 24, atrair 35
draw back	retrair 45
dream	sonhar 190
dress	vestir 206
dribble	babar 24, driblar 24
drill	furar 24, brocar 122, exercitar 24
drink	beber 41, tomar 197
drip	pingar 21
drive	dirigir 90, conduzir 62
drive into	cravar 24
drizzle	chuviscar 122
drop	deixar 82, cair 45, baixar 37
drown	afogar 21
drug	drogar 21
dry	secar 184
dump	depositar 84, descarregar 48
duplicate	dobrar 24
dye	tingir 15

E

earn	ganhar 24
eat	comer 58
echo	ecoar 211
edit	editar 24, redigir 15
educate	educar 122
ejaculate	ejacular 24
electrocute	electrocutar [BP eletrocutar] 24
elect	eleger 171

extend	estender 158, prolongar 21
exterminate	exterminar 24, aniquilar 24
extinguish	extinguir 92
extract	extrair 45

F

fail	reprovar 172, falhar 24, fracassar 24
faint	desmaiar 24
fall	cair 45
fall asleep	adormecer 14
fall out	brigar 21, cair 45
falsify	falsificar 122, alterar 24, contrafazer 119
falter	falhar 24, vacilar 24
fascinate	fascinar 24
fast	jejuar 24
fasten	abotoar 211, prender 58
fatten	engordar 24
favour	favorecer 63
fear	recear 159
feed	alimentar 24
feel	sentir 187
feign	fingir 15
fell	derrubar 24
fence	cercar 122, esgrimir 158
ferment	fermentar 24
fertilize	fertilizar 24
fight	brigar 21, lutar 24, combater 40, contender 58
figure	figurar 24
file	registar [BP registrar] 24, lixar 24
fill	encher 103
film	filmar 24
filter	filtrar 24
finance	financiar 24
find	achar 8, encontrar 104, descobrir 86
fine	multar 24
finish	terminar 24, acabar 5, completar 24
finish off	terminar 24, liquidar 24
fish	pescar 122

fit	caber 43, equipar 24, servir 189
fix	arranjar 31, consertar 24, reparar 24
flash	piscar 122, brilhar 24
flatten	arrasar 24, aplanar 24
flatter	lisonjear 159
flaunt	ostentar 24, pavonear 159
flicker	tremular 24, tremer 58
flirt	flertar 24
float	flutuar 24
flood	inundar 24, alagar 21
flourish	florescer 74, brandir 158
flow	correr 69, escorrer 69
flower	florescer 74, florir 158
fluctuate	flutuar 24
flutter	bater 40, esvoaçar 18
fly	voar 211
focus	enfocar 122, focalizar 24
fold	dobrar 24
follow	seguir 185
forbid	proibir 170
force	forçar 18, obrigar 151
ford	vadear 159
foresee	prever 205, pressentir 187
foretell	predizer 95, antedizer 95
forge	alterar 24, falsificar 122, forjar 24
forget	esquecer 63; (-se) 115
form	formar 24
formalize	formalizar 24
found	fundar 24
function	funcionar 24
free	livrar 24, soltar 24
freeze	congelar 24, gelar 126
frighten	assustar 24, espantar 24, aterrorizar 24
frolic	brincar 122
frustrate	frustrar 24
fry	fritar 24
fulfil	cumprir 75
furnish	fornecer 63, mobilar [BP mobiliar] 24

M

magnetize	**magnetizar** 24
maim	**mutilar** 24, **aleijar** 24
maintain	**manter** 195
make	**fazer** 119
make up	**constituir** 89, **inventar** 24, **maquilhar-se** [BP **maquilar-se**] 186
make up for	**compensar** 24
man	**tripular** 24, **operar** 24
manage	**dirigir** 90, **controlar** 24, **conseguir** 185
manipulate	**manipular** 24
manoeuvre	**manobrar** 24
manufacture	**manufacturar** [BP **manufaturar**] 24, **fabricar** 122, **produzir** 168
mark	**marcar** 122, **manchar** 24, **corrigir** 70
market	**comercializar** 24
marry	**casar** 24
mask	**encobrir** 55, **esconder** 112
matter	**importar** 24
mature	**amadurecer** 63
mean	**significar** 122
measure	**medir** 138
mechanize	**mecanizar** 24
meddle	**entremeter-se** 115
mediate	**mediar** 152
meditate	**meditar** 24
meet	**encontrar** 104, **conhecer** 63
melt	**derreter** 58, **descongelar** 24
mend	**consertar** 24, **reparar** 24, **remendar** 24
mention	**mencionar** 24
milk	**ordenhar** 24
mince	**moer** 141
mine	**extrair** 45
mint	**cunhar** 24
mislay	**extraviar** 24, **perder** 162
mislead	**enganar** 24, **desencaminhar** 24
miss	**perder** 162
mistreat	**maltratar** 24
mistrust	**desconfiar** 24

S

sabotage	**sabotar** 24
sack	**despedir** 160
sacrifice	**sacrificar** 122
sadden	**entristecer** 109
safeguard	**proteger** 171
sail	**navegar** 21
salt	**salgar** 21
sanctify	**santificar** 122
satisfy	**satisfazer** 183
saturate	**saturar** 24
save	**salvar** 24, **guardar** 24, **poupar** 24
savour	**saborear** 159
saw	**serrar** 24
say	**dizer** 95
scan	**perscrutar** 24
scare	**assustar** 24
scare away	**espantar** 24
scatter	**espalhar** 24
scent	**aromar** 24
scold	**ralhar** 24
scorch	**queimar** 24, **secar** 184
score	**marcar** 122, **fazer** 119
scorn	**desprezar** 24
scrape	**raspar** 24, **arranhar** 24
scratch	**coçar** 56, **arranhar** 24
scream	**gritar** 24
screech	**guinchar** 24
screw	**aparafusar** 24
screw on	**atarraxar** 24
scrub	**esfregar** 21
seal	**fechar** 120, **selar** 24
search	**procurar** 24, **examinar** 24
search for	**procurar** 24
season	**temperar** 24
seduce	**seduzir** 168
see	**ver** 205
seek	**procurar** 24, **solicitar** 24, **buscar** 42
seem	**parecer** 157

T

tabulate	tabelar 24
take	tomar 197, levar 24, apanhar 24, [BP pegar 24]
take away	subtrair 45, levar 24
take down	desmontar 24
take off	tirar 24, decolar 24
take out	tirar 24, extrair 45
talk	falar 24, conversar 24
tame	domesticar 122
tan	bronzear-se 186
tangle	emaranhar 24
taste	provar 172
tattoo	tatuar 67
tax	tributar 24, sobrecarregar 48
teach	ensinar 24
tear	romper 58, rasgar 21
tear up	rasgar 21
telephone	telefonar 194, chamar 50, [BP ligar 21]
tell	contar 66, dizer 95
tempt	tentar 24
tend	tender 58
terrify	aterrorizar 24
test	provar 172
testify	depor 164
thank	agradecer 16
theorize	teorizar 24, elaborar 24
thicken	adensar-se 186, engrossar 24
think	pensar 161, julgar 135, achar 8, crer 73
thread	enfiar 24
threaten	ameaçar 18
thresh	debulhar 24
thrill	emocionar 24
throb	palpitar 24, vibrar 24
throw	atirar 24, lançar 18, deitar 81 [BP jogar 134]
throw away	deitar 81, [BP jogar 134]
throw out	deitar 81, expulsar 24
thunder	trovoar 149
tidy up	arrumar 24
tie	atar 24

turn over	virar 24
turn round	voltar-se 212
twin	irmanar 24
twinkle	cintilar 24, pestanejar 24
twist	torcer 198, revirar 24

U

underestimate	subestimar 24
undergo	sofrer 58, passar 24
underline	sublinhar 24
understand	compreender 60, entender 106, perceber 58
undertake	encarregar-se 48
undo	desfazer 119
undress	despir 206
unearth	desenterrar 24, revelar 24
unfold	desdobrar 24, desenvolver 58
unify	unificar 122
unite	unir 158
unleash	desencadear 159
unload	descarregar 48
unplug	desligar 21
unravel	desemaranhar 24, desvendar 24
unscrew	desaparafusar 24
untangle	desemaranhar 24
untie	desatar 24, soltar 24
unwrap	desembrulhar 24
update	actualizar [BP atualizar] 24
upholster	estofar 24
uproot	arrancar 122, desarraigar 21
upset	magoar 211, aborrecer 2
urge	incitar 24
urge on	incitar 24, provocar 122
urinate	urinar 24, mijar 24
use	usar 24, utilizar 24
use up	esgotar 24, gastar 125
usurp	usurpar 24
utilize	utilizar 24
utter	emitir 158, proferir 121